PAULO VIEIRA, PhD
SARA BRAGA

EDUCAR, AMAR E DAR LIMITES:
OS PRINCÍPIOS PARA CRIAR FILHOS VITORIOSOS

CARO LEITOR,
Queremos saber sua opinião sobre nossos livros.
Após a leitura, curta-nos no facebook.com/editoragentebr,
siga-nos no Twitter @EditoraGente, no Instagram @editoragente
e visite-nos no site www.editoragente.com.br.
Cadastre-se e contribua com sugestões, críticas ou elogios.

PAULO VIEIRA, PhD
SARA BRAGA

EDUCAR, AMAR E DAR LIMITES:
OS PRINCÍPIOS PARA CRIAR FILHOS VITORIOSOS

TUDO QUE VOCÊ PRECISA SABER PARA PROMOVER A MELHOR EDUCAÇÃO EMOCIONAL PARA SEUS FILHOS NA 1ª INFÂNCIA E SEMPRE

Diretora
Rosely Boschini

Gerente Editorial
Rosângela de Araujo Pinheiro Barbosa

Assistente Editorial
Rafaella Carrilho

Produção Gráfica
Fábio Esteves

Preparação
Adriane Gozzo |
AAG Soluções Editoriais

Jornalistas Equipe Febracis
Gabriela Alencar, Maggie Paiva,
Raquel Holanda e Aparecida Marques

Designer Febracis
Caio Braga

Capa, projeto gráfico e diagramação
Vanessa Lima

Revisão
R. A. e Fernanda Guerriero Antunes

Impressão
Gráfica Assahi

Copyright © 2021
by Paulo Vieira e Sara Braga
Todos os direitos desta edição
são reservados à Editora Gente.
Rua Natingui, 379 – Vila Madalena
São Paulo, SP – CEP 05435-000
Telefone: (11) 3670-2500
Site: www.editoragente.com.br
E-mail: gente@editoragente.com.br

Dados Internacionais de Catalogação na Publicação (CIP)
Angélica Ilacqua CRB-8/7057

Vieira, Paulo
  Educar, amar e dar limites: os princípios para criar filhos vitoriosos: tudo que você precisa saber para promover a melhor educação emocional para seus filhos na 1ª infância e sempre / Paulo Vieira e Sara Braga. – São Paulo: Editora Gente, 2022.
  192 p.

Bibliografia
ISBN 978-65-5544-059-1

1. Educação de crianças 2. Pais e filhos I. Titulo II. Braga, Sara

20-4306   CDD 649.1

Índice para catálogo sistemático:
1. Educação de crianças

NOTA DA PUBLISHER

Com meus filhos eu pude vivenciar o que é educar para além da escola. Mãe de três, eduquei-os para a vida, para a felicidade – e continuo educando, pois quando se é pai ou mãe, esse é um papel que nunca abandonamos.

O que você tem em mãos é precioso. Precioso porque ensina que educar, amar e dar limites são, no fim das contas, verdadeiros sinônimos. E, acima de tudo, educar para o sucesso, porque aí está o real reflexo do que é amar, sobretudo quando entendemos que ser bem-sucedido significa ser feliz.

A proposta de **Educar, amar e dar limites: os princípios para criar filhos vitoriosos** está longe de ser um manual de instruções – o que definitivamente não existe quando se trata de criar filhos. Aqui, Paulo Vieira, um dos mais conceituados coaches do país, e Sara Braga, pedagoga com mais de vinte anos de experiência, mostram alguns pilares para ajudá-lo nessa jornada cheia de obstáculos, porém incalculavelmente gratificante, que é educar.

Torço para que este livro chegue às mãos de muitos pais e mães e que possa ajudá-los a desempenhar cada vez melhor esse papel que é tão fundamental para que possamos construir uma sociedade melhor, um mundo melhor.

ROSELY BOSCHINI – CEO da Editora Gente

DEDICATÓRIA

Dedico este livro aos meus filhos, Júlia, Mateus e Daniel. Eles me inspiram, todos os dias, a buscar novas formas de ajudar os adultos a transformarem suas vidas e as crianças a crescerem da melhor maneira possível, com crenças fortalecedoras e memórias positivas que as possibilitem ser fortes e saudáveis emocionalmente. O trabalho que resultou nas próximas páginas dedico também a todas as crianças do Brasil e do mundo, que merecem, e podem viver uma vida extraordinária de amor, sucesso, felicidade e plenitude em todas as áreas da vida. Eu reconheço a missão fundamental que nós, pais, temos na criação dos nossos filhos e, com isso, espero que este livro chegue a cada uma das suas famílias e transforme tudo em volta.

PAULO VIEIRA

Aos meus pais, Beatriz e José Maria, que nunca deixaram faltar o amor e os princípios e valores cristãos. Ao meu marido, Paulo Pina, que tem por mim um amor incondicional, sempre viu os meus talentos e nunca desistiu de me ver alcançando os meus sonhos. Aos meus filhos, Rodrigo, Arthur, Pauline e André, razão deste meu amor pela família e pelo desenvolvimento humano, na certeza de que esta minha conquista os estimulará sempre para que realizem os seus sonhos e sejam a potência que nasceram para ser.

SARA BRAGA

AGRADECIMENTOS

Gratidão ao Paulo Vieira e à Camila Saraiva Vieira por terem transformado a minha vida e o futuro da minha família.

SARA BRAGA

SUMÁRIO

10   **Introdução:** transformações extraordinárias
se iniciam hoje

15   **1. Família:** lugar de boas memórias

59   **2. Autoestima:** a base da força emocional

81   **3. Emoções:** o caminho para uma vida plena

109   **4. Comunicação:** a perfeita linguagem do amor

135   **5. Fases do desenvolvimento:** o segredo de
um crescimento feliz

151   **6. Adolescência:** não pare no meio do caminho

171   **7. Perseverança, integridade e merecimento:**
os três fundamentos para levar o seu filho
ao sucesso

188   **Referências bibliográficas**

INTRODUÇÃO
Transformações extraordinárias se iniciam hoje

Quando Sara e eu nos unimos na Febracis para pensar no "Programa Jeito de Viver Família", uma grande ficha caiu: não estamos criando filhos para o extraordinário. Somos pais e mães cada dia mais atarefados, envoltos em uma rotina focada em grandes conquistas pessoais e profissionais. Somos pais e mães preocupados com o futuro dos nossos filhos, trabalhando incessantemente para que possam ter tudo o que *nós* sempre sonhamos.

Amor não falta, sem dúvida nenhuma. Mas também não falta culpa. Culpa pela ausência, pelas constantes faltas aos compromissos, pelas promessas quebradas. Culpa por todas as vezes em que fomos duros demais ou permissivos demais. Culpa pela conexão familiar cada vez mais frágil, por todas as vezes em que não soubemos externar esse amor tão grande que existe dentro de nós.

Temos, de modo geral, empurrado nossos filhos, que clamam por atenção, aos lobos. Seja nos excessos tecnológicos, nas más companhias ou até nas drogas, temos permitido neles a formação de crenças limitantes de identidade, capacidade e merecimento, as quais abordaremos mais a fundo ao longo deste livro. De maneira quase irônica, estamos trabalhando pelo futuro de filhos cada vez mais distantes de nós.

Para exemplificar isso, costumo contar duas histórias, a do Márcio e a do Augusto. Eles têm muito em comum: ambos são profissionais bem-sucedidos em suas áreas de atuação, casados e pais de três filhos. São apaixonados pelas famílias e veem no trabalho uma forma de garantir uma vida melhor a elas.

Márcio é do tipo *workaholic*. Sai muito cedo de casa para ser o exemplo entre os liderados na empresa. Tão cedo que dificilmente consegue tomar café da manhã com a esposa. Só vê as crianças quando já estão dormindo, pois quase nunca consegue chegar em casa, durante a semana, antes das 22 horas. Se não por causa do trabalho em excesso, pelos *happy hours* com os amigos, para aliviar o estresse.

Aos sábados, permite-se acordar mais tarde. A esposa serve seu café da manhã enquanto ela e as crianças já estão quase se preparando para o almoço. No corredor, a filha mais velha passa correndo com o smartphone na mão e esbarra no pai. "Poxa, pai! Presta atenção!" Ao chegar na sala, Márcio encontra os dois filhos menores. O pequenininho levanta a cabeça, olha para ele e volta a brincar com os dinossauros sozinho. No sofá, o filho do meio grita enquanto joga um game on-line com os amigos e nem parece reparar no pai.

O momento do jantar é quase constrangedor. Apesar de todo o amor, o pai pouco sabe sobre o dia a dia dos filhos. "Quais são as novidades? Quais foram suas conquistas durante a semana? Durante o mês? Quais foram as dificuldades por que passaram?" Márcio agora mal consegue iniciar um diálogo com os próprios filhos. Sente o peso da culpa. Mas o que poderia fazer diferente com tão pouco tempo? Afinal, tudo o que tem feito é pelo futuro deles. "Com certeza, um dia eles vão entender."

Do outro lado da cidade, Augusto acorda cedo com a esposa e as crianças. Enquanto ele faz o café, os filhos ajudam a mãe a preparar sanduíches. Sonolentos, mas felizes. Depois de uma refeição repleta de conversas e risadas, Augusto beija e abraça cada um dos filhos e dá um beijão na esposa, encarregada de levar as crianças à escola. Parecia um cenário matinal impossível, até eles começarem.

Na empresa, agiliza as atividades para encerrá-las pontualmente às 18 horas. Toma um cafezinho com os amigos no bistrô da esquina para relaxar e chega em casa às 19 horas e 30 minutos. Ao abrir a porta, dá de cara com os filhos pequenos brincando, que correm e pulam nele. "Papai, papai! Hoje, marquei um golaço no time da escola!" "Eu também fiz um gol, papai!" Augusto abraça os dois demoradamente.

Passando pelo corredor, a filha mais velha larga o smartphone e encontra o pai ainda na sala. Abraça-o e conta as novidades da escola nova. Já tem vários amigos e até se inscreveu para o time de vôlei. Augusto beija a testa dela e elogia seu desempenho social.

A esposa, vindo em direção à sala, para no corredor e observa toda aquela cena com lágrimas nos olhos. Augusto vai até ela e beija-lhe cheio de amor enquanto as crianças riem. Vindo da cozinha, um cheiro maravilhoso de assado de panela. O jantar está pronto, só esperando a chegada dele.

Augusto escuta com atenção os acontecimentos do dia e não consegue esconder a satisfação de ter uma família tão unida e amorosa à mesa. "Não sei se estou fazendo tudo certo, mas agradeço a Deus, todos os dias, a felicidade da minha família."

Não é à toa que resolvi contar essas duas histórias logo na introdução deste livro. Sempre que as conto em meus treinamentos, muitos pais vêm até mim pedir ajuda com as mais diversas dificuldades. Pais e mães que não conseguem lidar com o comportamento dos filhos, com a falta de conexão e de afeto e até com problemas maiores, como uso de drogas e transtornos mentais adquiridos.

Recebo muitos relatos e inúmeras perguntas de pais buscando encontrar formas de nutrir hábitos positivos nos filhos, a fim de evitar transtornos que hoje fazem parte da vida de muitas crianças e adolescentes, como depressão, ansiedade, isolamento, entre outros. Ao longo da leitura deste livro, você vai encontrar estratégias e fundamentos para levar seu filho ao sucesso.

> Segundo levantamento publicado em 2019 pela Sociedade Brasileira de Pediatria (SBP),[1] com base em dados do Ministério da Saúde, nos últimos dez anos houve um aumento de 93% no número de crianças entre 0 e 14 anos internadas em hospitais públicos com diagnósticos de doenças mentais e comportamentais, como depressão e transtorno de ansiedade.
>
> Outro dado preocupante da pesquisa é o de registros de transtornos emocionais decorrentes do uso de substâncias psicoativas para fins recreativos, como ansiolíticos e sedativos, maconha e canabinoides sintéticos, alucinógenos, inalantes ou solventes, estimulantes, tabaco, entre outras. O número de internações de crianças de 10 a 14 anos desse grupo de causas deu um salto de 41%, passando de 510, em 2009, para 717, em 2018.

1   HOSPITALIZAÇÃO de adolescentes por transtornos mentais aumenta e preocupa pediatras. **Sociedade Brasileira de Pediatria**, 14 out. 2019. Disponível em: https://www.sbp.com.br/imprensa/detalhe/nid/hospitalizacao-de-adolescentes-por-transtornos-mentais-aumenta-e-preocupa-pediatras/. Acesso em: 11 nov. 2020.

Se esses números assustam até os pediatras e demais profissionais da saúde, imagine a nós, pais. Muitas famílias vivem os extremos, ou superprotegem os filhos, impedindo que se tornem autônomos e adquiram competências que os levem a desenvolver uma musculatura emocional forte, ou encaram os desafios citados na pesquisa com negligência, e, quando se dão conta, os filhos já estão com sintomas graves.

Mas o objetivo deste livro não é gerar medo. É, todavia, proporcionar aos pais e responsáveis de crianças e adolescentes um passo a passo para sair do estado de vitimização e partir para a ação.

Nas páginas a seguir, vamos abordar as sete memórias essenciais para o desenvolvimento saudável dos filhos. Entendemos que somos nossas memórias, então precisamos ter registros de experiências de pertencimento, importância e conexão; limites/autorresponsabilidade; generosidade; crescimento; missão/significado; fortalecimento da autoestima; construção da inteligência emocional e desenvolvimento emocional.

Vamos entender o que é a *perfeita linguagem do amor*, com valores indispensáveis ao fortalecimento das conexões de afeto, perdão, paciência, empatia e diálogo em família, com fundamentos que nos levarão a uma experiência transformadora com nossos filhos visando elucidar muitas dúvidas que surgem pelo caminho durante a aventura de criar filhos felizes e fortes emocionalmente.

Este não é um livro para ser simplesmente folheado e depois guardado na prateleira. Além de teorias, histórias, músicas, vídeos, dicas práticas e casos de vida real, este livro vai disponibilizar diversas ferramentas que lhe trarão consciência de como está sua vida hoje e do que você vai fazer a partir de agora para transformar seu lar em um lugar de boas memórias.

PAULO VIEIRA

CAPÍTULO

1

FAMÍLIA:
Lugar de boas memórias

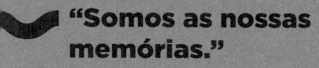

"Somos as nossas memórias."

PAULO VIEIRA

Ao longo da vida, passamos pelas mais diversas experiências, colecionando momentos que podem ser classificados como **felizes** (uma caminhada pela praça, um almoço em família, a primeira viagem com os filhos); **tristes** (ser esquecido na escola, sofrer uma decepção amorosa, passar por um acidente de trânsito); e **triviais** (um episódio qualquer de uma série de TV, um sorriso recebido na rua, a leitura de um rótulo de xampu).

Todos esses momentos são transformados em memórias e armazenados em nossa mente. Algumas dessas memórias são mais acessíveis ao consciente, por terem sido geradas sob forte impacto emocional ou de acordo com a conceituação Visão, Audição e Sinestesia (VAS),[2] enquanto outras se encontram (quase) inalcançáveis em uma eterna sala de registros internos que nos acompanha até o fim da vida.

Por exemplo, você se lembra de onde estava e do que estava fazendo há exatamente um ano? Pode até ser que se lembre, caso tenha acontecido algo especial. No entanto, é muito mais provável que não tenha nenhuma memória clara desse período. Por outro lado, se você tem em torno de 40 anos, provavelmente deve se lembrar de onde estava e do que estava fazendo na manhã do dia 11 de setembro de 2001, mesmo já tendo se passado tanto tempo.

A data que marcou o maior ataque terrorista da história dos Estados Unidos reuniu milhões de pessoas diante das TVs, ao vivo, em todo o mundo. A comoção

---

2 Partimos da premissa de que tudo que vimos e ouvimos e as sensações sinestésicas vividas na infância formaram as crenças que habitam nossa mente e direcionaram nossa vida desde então.

gerada pela tragédia e sua repercussão ininterrupta na mídia nos levaram a produzir uma memória muito mais vívida e acessível sobre onde estávamos e o que estávamos fazendo assim que surgiu o primeiro plantão noticiário.

TEORIA GERAL DAS MEMÓRIAS

As memórias registradas pelo cérebro são sensoriais. Cada uma delas é envolta de **sentimentos** diversos (segundo a escala de sentimentos primais: amor e ódio) e de **significado** (positivo ou negativo), de acordo com o que vemos, ouvimos, sentimos e pensamos.

É importante acrescentar que os significados podem ser absorvidos como positivos ou negativos pelo indivíduo, independentemente dos sentimentos que os norteiam. Ou seja, mesmo com sentimentos negativos, é possível criar memórias de significado positivo, e vice-versa.

A formação de memórias ocorre por meio de sinapses, nome das transmissões de impulsos nervosos entre neurônios. Cada processamento sináptico é acrescido de significado, bom ou ruim. Os significados, por sua vez, são registrados por meio de sentimentos ativos no indivíduo durante o processo de formação de memória, sendo influenciados diretamente pelo que ele vê, ouve, sente ou pensa durante a experiência.

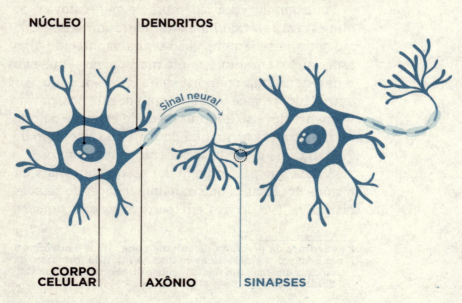

São as memórias, os sentimentos e os significados que, armazenados nas sinapses, formam nossas crenças.[3] É um processo que acontece muito rápido, em milissegundos, e interfere diretamente no que somos e no que podemos ser. Afinal, como visto no Método CIS[4], são nossas crenças que determinam também nossos comportamentos e resultados, nossas atitudes e a qualidade de nossa vida.

A imagem a seguir mostra de que modo uma crença é formada por nossas memórias e seus sentimentos e significados.

Fonte: Febracis.

Para que você entenda melhor, imagine o que acontece quando um indivíduo toma uma grande variedade de remédios. O fígado metaboliza os elementos químicos e despacha cada um para o lugar apropriado. Um analgésico para dor de cabeça, por exemplo, vai atuar em um lugar específico; o cálcio vai para outro local, e, dessa forma, cada um dos princípios é encaminhado para o devido lugar.

A mesma coisa acontece com nossas memórias. Cada uma delas é encaminhada ao lugar certo. Então, cada memória produzida vai nutrir

---

[3] Crença é toda programação mental (sinapses neurais) adquirida como aprendizado durante a vida que determina os comportamentos, as atitudes, os resultados, as conquistas e a qualidade de vida, conforme veremos mais adiante.

[4] O Método CIS é o maior treinamento de inteligência emocional do mundo, criado e ministrado exclusivamente pelo PhD e Master Coach Paulo Vieira. Suas edições, presenciais e online, reúnem milhares de pessoas a cada mês e, ao todo, ele já impactou mais de um milhão de vidas.

determinadas crenças. O que uma pessoa pensa sobre os homens, sobre o dinheiro, sobre si mesma etc. São milhares de crenças sobrepostas, cada uma delas ramificada como raízes, inserindo-se nas crenças subjacentes e influenciando-as.

UTOPIA [5]

[...]
Eu tantas vezes
Vi meu pai chegar cansado
Mas aquilo era sagrado
Um por um ele afagava

E perguntava
Quem fizera estrepolia
E mamãe nos defendia
Tudo aos poucos se ajeitava

O sol se punha
A viola alguém trazia
Todo mundo então queria
Ver papai cantar com a gente

Desafinado
Meio rouco e voz cansada
Ele cantava mil toadas
Seu olhar no sol poente
[...]

A discordância entre sentimentos e significado também pode estar diretamente relacionada à **inteligência emocional**. Uma pessoa com boa inteligência emocional terá mais facilidade em dar significado positivo às experiências negativas pelas quais passou e, consequentemente, mais domínio sobre seus sentimentos. Ela entende que não há como mudar o que aconteceu, mas sabe que é possível mudar o significado.

---

5 UTOPIA. Intérprete: Padre Zezinho. In: SUCESSOS de sempre. [s.l.]: Fracarroli Music, 2003. Faixa 2.

20 EDUCAR, AMAR E DAR LIMITES

Imagine um pai que dá uma palmada severa no filho. Quando faz isso, não só dá a palmada na criança, mas também grita com ela: "Não faça isso, moleque!". Então, nesse momento, o filho vê a expressão de ódio do pai, ouve a voz dele carregada de raiva e ainda sente a dor da palmada. Isso é uma memória sensorial com significado. E de que forma a criança interpreta esse acontecimento? Em geral, com pensamentos do tipo: "Papai gritou comigo, eu sou uma criança ruim. Mamãe gritou comigo, porque faço tudo errado". Nas sinapses que acontecem na cabeça dessa criança, são formadas memórias sensoriais com sentimentos de inferioridade, incapacidade, tristeza, raiva, entre tantos outros. O significado, para uma criança que ainda não possui inteligência emocional, não poderia ser outro senão negativo.

Mas se falarmos de um indivíduo adulto ofendido por outro, a situação pode ser bem diferente. Com inteligência emocional, ele terá uma possibilidade muito maior de se libertar dos sentimentos ruins e dar significado positivo à experiência, que por si só é extremamente negativa. Assim, pode racionalizar em torno do acontecimento e atribuir a ele um significado que, talvez, seja até positivo.

Diferentemente de nossas crenças, que podem ser reprogramadas, nossas memórias não mudam. A memória do dia em que você viu o sorriso do seu filho pela primeira vez será sempre uma memória feliz. Já a memória de um assalto, por exemplo, será sempre uma memória ruim. A chave dessa questão, no entanto, é justamente a possibilidade que temos de ressignificar nossas memórias. Ou seja, de atribuir significado positivo a memórias que tiveram, no passado, conotação negativa.

AMBIENTE EMOCIONAL DAS MEMÓRIAS

No tópico anterior, falamos sobre como nossas memórias sempre vão para o lugar certo. Mas que lugar é esse? Ou seja, onde (e de que maneira) nossas memórias são armazenadas? Neurologicamente, a memória não possui armazenamento temporal, com presente, passado ou futuro.

As memórias são cronologicamente empilhadas no ambiente emocional das memórias, espécie de cilindro cuja base contém as memórias do dia do nascimento até os dias atuais. Nele, presente, passado e futuro se misturam, e tudo é armazenado no hoje.

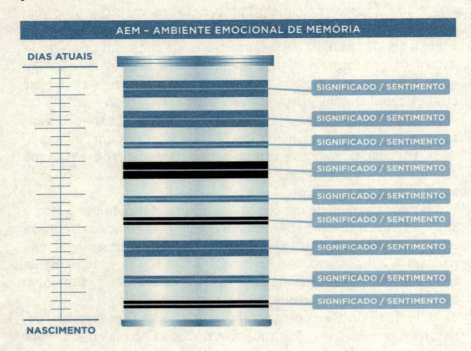

Fonte: Febracis.

No entanto, uma memória de um fato do passado que deixou mágoas permanece presente, porque é assim que a pessoa a sente. É como se, a cada recordação, o fato estivesse acontecendo de novo naquele momento, mesmo tendo ocorrido anos atrás. Do mesmo modo, há pessoas que carregam ainda mais ódio hoje sobre um evento acontecido no passado. Um ditado popular diz que o tempo é o melhor remédio para perdoar e curar mágoas. Mentira. Neurologicamente, o tempo não tem nenhuma função sobre esse aspecto.

Dentro do cilindro, as memórias vão caindo sequencialmente à medida que são geradas, sendo atribuídos a elas significados e sentimentos. A cada hora, minuto e segundo, milhares e milhares delas vão caindo no ambiente emocional e sendo empilhadas, formando o que somos.

Organicamente, o que vemos hoje em nós é resultado dos genes herdados dos nossos pais e de tudo com que já nos alimentamos e bebemos. O que você está vivendo neste momento são suas memórias. Somos nossas memórias. Somos o passado porque o futuro não existe e o presente é um microinstante que passa a cada milésimo de segundo. O que você está vendo em si mesmo, em relação à estrutura orgânica, é passado.

> **Somos nossas memórias. Somos o passado porque o futuro não existe e o presente é um microinstante que passa a cada milésimo de segundo.**

Quando um indivíduo faz planos para o futuro, o faz para que sejam construídos e executados no presente, o qual, por sua vez, já faz parte do passado. Dessa forma, todos os planos que passam pela mente tornam-se memórias, mesmo aqueles que nunca aconteceram.

O cérebro não distingue o real do imaginado. O que define o real é a intensidade emocional. Se existe intensidade emocional, é real.

Agora, vamos entender melhor quais são os tipos de memórias que armazenamos no cilindro de memórias, representado na imagem a seguir.

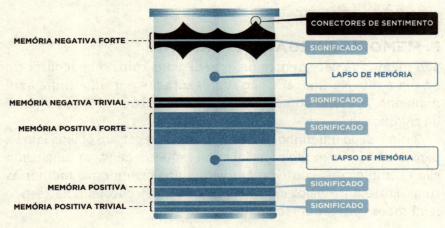

Fonte: Febracis.

1. MEMÓRIAS POSITIVAS TRIVIAIS

São memórias boas que acontecem ao longo da vida acompanhadas de significado e sentimentos positivos. Em geral, acontecem diariamente, como o sorriso de um filho que nos encanta e nos faz suspirar.

As memórias positivas triviais são representadas, na imagem, pela listra azul fina, na base do cilindro, atrelada a uma linha de cor azul claro, que é o significado.

Um exemplo desse tipo de memória é quando um pai pega o filho no colo e diz: "Filho, você é lindo!". Nesse momento, o filho vê, ouve e sente o afago do pai. Isso gera uma memória acrescida de significado e de um composto de sentimentos. Supondo que, para o filho, a experiência aconteça todos os dias, ela será considerada trivial. Entretanto, se isso nunca acontece e o pai uma vez passa a mão na cabeça do filho e diz que o ama, essa se tornará uma memória diferente, forte.

2. MEMÓRIAS POSITIVAS FORTES

São memórias boas e de maior impacto emocional e maior significado que as triviais. Podem ou não acontecer com frequência, sendo bastante importantes para a formação de crenças positivas no indivíduo. Na imagem, são representadas pela listra azul grossa no meio do cilindro.

A formação de memórias positivas fortes acontece, por exemplo, quando uma criança é surpreendida pelos pais, arregala os olhos e abre a boca de felicidade. Essa memória é mais poderosa, pois envolve o VAS de modo muito mais intenso. Quanto mais forte o VAS, mais consistente a memória.

3. MEMÓRIAS NEGATIVAS TRIVIAIS

São memórias decorrentes de experiências ruins que acontecem no dia a dia. Na imagem, são representadas por uma linha azul mais fina, e, assim como as memórias positivas, vêm carregadas de significado.

Bater o dedo mindinho no canto da mesa, pegar um ônibus lotado, perder um objeto muito especial ou se esquecer de pagar uma conta são exemplos de acontecimentos que nos fazem criar memórias ruins. Entretanto, pelo caráter trivial e cotidiano, acabam não sendo lembrados com tanta facilidade.

4. MEMÓRIAS NEGATIVAS FORTES

São aquelas representadas por uma linha azul mais espessa no topo do cilindro. São memórias mais nocivas em razão da intensidade e por estarem diretamente ligadas a conectores de sentimentos. São nesses conectores que estão alojadas a perpetuação dos vícios emocionais[6] e a disfunção emocional profunda do indivíduo.

Quanto maior for o vício, maiores serão os conectores de sentimentos. Experiências como falência, assaltos, decepções amorosas e morte de entes queridos criam esse tipo de memórias negativas, que são muito mais fáceis de serem acessadas.

Em resumo, o que vimos até o momento foram os principais tipos de memórias: positivas e negativas. Um outro tipo que merece destaque são os lapsos de memória, sobre os quais falaremos a seguir.

5. LAPSOS DE MEMÓRIA

Há momentos em que nosso cilindro metafórico de memórias não registra os acontecimentos de maneira positiva, negativa nem trivial. Em outras palavras, é criado um vácuo. Isso acontece quando um indivíduo passa muito tempo realizando uma atividade solitária e repetitiva. Por exemplo, uma criança que começa a brincar com sua bonequinha inicia um processo de formação de memórias, até que será interrompido, com o tempo prolongado, pela repetição e pela solidão.

Imagine uma esponja oca com pouca estrutura. Assim é a memória de quem passa muito tempo sem interação física e humana.

São inúmeras as memórias perdidas que deixam espaço para um vácuo terrivelmente negativo. Na realidade em que vivemos hoje, é muito comum encontrarmos crianças que passam boa parte do tempo brincando ou se distraindo com smartphones e tablets, sem interação física com amigos, cuidadores e parentes próximos, registrando em seu "cilindro" inúmeros lapsos de memória. No entanto, não se pode afirmar que essa seja a única forma de gerar lapsos de memória. Mesmo crianças privadas de acesso às tecnologias podem ter enormes vácuos de memória, uma vez que, ao passarem muito tempo sozinhas, deixam de viver experiências de pertencimento, importância e conexão, as quais, como veremos mais adiante, são primordiais para que ela se desenvolva com saúde e força emocional.

---

6   São todo comportamento, pensamento e/ou sentimento destrutivo com o qual convivemos e que sempre tentamos reproduzir em nossos relacionamentos, mesmo que de modo inconsciente, como aprofundaremos em capítulos posteriores.

Para entender o quanto isso é nocivo, é preciso conhecer o cerne dessa questão: nós, seres humanos, somos a sobreposição de memórias experienciadas ao longo da vida. Como vimos, toda memória vem acompanhada de sentimento e de significado, conforme o esquema a seguir.

MEMÓRIA → SENTIMENTO → SIGNIFICADO = MEMÓRIA

O excesso de lapsos está diretamente relacionado à ausência de nossas crenças primais: identidade, capacidade e merecimento.

As crenças de identidade estão relacionadas ao senso de valor do indivíduo, isto é, a "quem sou". As crenças de capacidade estão relacionadas ao que a pessoa acredita ser capaz de fazer – em outras palavras, "eu faço". Por fim, as crenças de merecimento estão relacionadas ao que a pessoa acredita ser merecedora – "eu mereço" –, conforme apresentado na pirâmide a seguir.

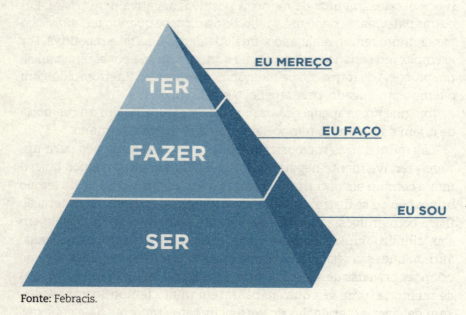

Fonte: Febracis.

Quando um lapso se instala, abre-se espaço para uma ausência na formação da concepção de quem somos, do que somos capazes de fazer e do que merecemos. Quando não há nada ali, o indivíduo pode ser facilmente manipulado a ser qualquer coisa, a realizar qualquer absurdo, a sentir-se sempre incapaz e não merecedor.

Se no ambiente emocional das memórias de uma criança houver lapsos de memórias e memórias ruins com conectores pontiagudos de sentimentos (conforme visto na imagem do cilindro), as memórias que estiverem acima ou abaixo do cilindro serão afetadas.

Toda criança, jovem, adulto ou idoso precisa de experiências de pertencimento, importância, conexão e limites para formar crenças fortalecedoras e saudáveis durante a vida.

Mais importante do que a experiência vivida pelo indivíduo são o sentimento e o significado atribuídos a essa experiência.

Uma mesma situação pode ser interpretada pelos indivíduos de diferentes formas. Por exemplo, ao tropeçar em uma pedra, alguém pode reclamar e achar que se trata de falta de sorte. Outra pessoa, em contrapartida, pode agradecer e dizer "Que bom que consegui me equilibrar para não cair". Determinado fracasso pode se tornar uma experiência positiva. A dor pode se tornar uma experiência positiva, mesmo muito tempo depois do acontecimento. Não é à toa que uma das maiores finalidades do maior treinamento de inteligência emocional do mundo, o Método CIS, é a mudança de crenças. E isso ocorre não por meio da modificação de nossas memórias, mas sim dos sentimentos e significados que atribuímos a elas.

A IMPORTÂNCIA DOS AMBIENTES NA FORMAÇÃO DE MEMÓRIAS

Já vimos como é essencial ter memórias positivas desde a infância para a formação de crenças fortalecedoras em um indivíduo. No entanto, precisamos destacar a importância das instâncias em que essas memórias são geradas.

As instâncias referem-se a todas as relações e os ambientes de convívio da criança que interferem em seu desenvolvimento. Assim, podemos dizer que existem sete instâncias, ou seja, sete níveis de relação que a criança estabelece consigo mesma e com o ambiente à sua volta.

A primeira instância é a relação que ela possui consigo mesma; a segunda, com os pais biológicos e os responsáveis por seu cuidado e educação; a terceira envolve todos os que habitam o local em que a criança mora; a quarta se refere às relações que ela estabelece com o local em que estuda e ao vínculo gerado com as pessoas que encontra nesse local; a quinta diz respeito aos parentes e familiares;

FAMÍLIA: LUGAR DE BOAS MEMÓRIAS 27

a sexta, à comunidade em que está inserida; e a sétima envolve a relação que ela estabelece com Deus ou com sua espiritualidade, conforme apresentado na imagem a seguir.

As memórias, principalmente as de forte impacto emocional, geradas em quaisquer das instâncias vão continuar existindo durante toda vida. E cada experiência vivida vai produzir crenças. Dessa forma, é importante que a família esteja sempre atenta ao comportamento dos filhos, quando, por exemplo, voltam da escola, da casa dos amigos, dos ambientes sociais que frequentam.

Mais importante do que a experiência vivida pelo indivíduo são o sentimento e o significado atribuídos a essa experiência.

Para uma criança, podemos dizer que o principal espaço de convívio longe de casa é a escola. É lá que a criança desenvolve sua aptidão em se comunicar socialmente, interagindo de modo direto com outras crianças, assim como com outros adultos. O tipo de interação que ela estabelece nesse ambiente pode criar memórias positivas ou negativas, que ela tenderá a levar por toda vida.

Se sofrer *bullying*, por exemplo, essa criança poderá, quando adulta, repetir o mesmo comportamento, seja assumindo o papel de agressor ou de vítima. Do mesmo modo, algumas pessoas que já passaram pela experiência de pobreza podem associar suas memórias ao sentimento de ódio, dando um significado a elas que pode se refletir na decisão de nunca mais querer vivenciar aquela situação. Isso porque, como vimos, as memórias negativas fortes são repletas de conectores de sentimentos negativos que destroem as demais memórias ao redor. Essas experiências negativas são tão dolorosas que fazem com que as vivências boas sejam apagadas.

Daí a importância de se estar atento ao tipo de interação que a criança estabelece em cada uma das instâncias em que está inserida. Quanto mais positiva e harmoniosa for a relação dela em cada um desses ambientes, mais ela tenderá a se desenvolver com saúde e força emocional.

Diante disso, convidamos você a refletir: Quais são as experiências que tem nutrido em seu filho? Como o ambiente familiar tem interferido na formação das memórias dele?

_____
_____
_____
_____
_____
_____
_____
_____
_____
_____

> **O adulto tem um papel primordial de ajudar a criança a ressignificar suas experiências, sobretudo quando forem negativas.**

SETE PADRÕES DE MEMÓRIAS FORTALECEDORAS E CURATIVAS

Como vimos, a formação de memórias ocorre por meio de sinapses, nome dado à transmissão de impulsos nervosos entre neurônios. Falamos de três elementos: memórias, sentimentos e significado, que, armazenados nas sinapses, formam nossas crenças e interferem diretamente no que somos e em quem podemos ser. A vivência das sete experiências que serão apresentadas a seguir proporciona um empilhamento de memórias positivas e fortalecedoras.

Desde a infância, é fundamental que todos nós vivenciemos determinados padrões de memórias para a formação de crenças fortalecedoras. Há sete tipos de memórias que influenciam no desenvolvimento saudável de um indivíduo, mas quatro delas consideramos essenciais – pertencimento, importância, conexão, limites/autorresponsabilidade –, enquanto as demais podem ser consideradas subjacentes – generosidade, crescimento e missão/significado.

Fonte: Febracis.

Essas memórias nem sempre estão disponíveis em nível consciente, mas ficam registradas de maneira detalhada em nosso "cilindro", evitando que memórias negativas sejam acessadas com facilidade. Isso porque, quanto mais memórias fortalecedoras e positivas tivermos, mais difícil será o acesso às memórias negativas.

A seguir, veremos mais detalhadamente cada uma delas.

1. PERTENCIMENTO

O primeiro padrão de memórias é o **pertencimento**, que se refere à necessidade inconsciente de ser acolhido, abraçado e amado por um indivíduo (ou grupo de indivíduos) por meio das experiências vividas.

O primeiro desejo de pertencimento da criança está relacionado ao núcleo familiar. Ela precisa de uma comunicação de amor dos pais: abraços, beijos, carinho. Precisa se sentir integrada aos irmãos e parte da família com avós, tios e primos. O desejo de acompanhar os pais em eventos, de participar das atividades nas quais eles estão envolvidos, de contribuir com o que estão fazendo naquele momento, de imitar determinadas práticas familiares são exemplos de situações que expressam o desejo da criança de se sentir pertencente ao núcleo familiar.

Na escola, ela lida com o primeiro desafio de socialização fora do ambiente familiar. A partir daí, o desejo de interagir, conversar e brincar com outras crianças faz parte da necessidade de se sentir pertencente ao espaço e àquele grupo social. Por exemplo, crianças que praticam esportes coletivos e se sentem pertencentes a uma equipe, jogam por um mesmo objetivo e comemoram juntas cada conquista.

No entanto, se não tiver experiências de pertencimento e estiver imersa em um ambiente emocional disfuncional, a criança se sentirá à margem. No futuro, poderá apresentar uma necessidade patológica de participar de um grupo ou de pertencer a alguém. A tendência, portanto, é que ela busque preencher o "vazio" com qualquer experiência que simule esse padrão de memória. É a partir daí que se formam indivíduos que se envolvem com o tráfico de drogas, com quadrilhas de bandidos, porque nesses ambientes eles finalmente passaram a se sentir pertencentes, conectados e com uma missão relacionada a um grupo.

Imagine esta situação: um rapaz, durante a infância e a adolescência, não teve memórias fortalecedoras com a família. Os pais trabalhavam fora e não se preocupavam em estar mais perto dele quando podiam. Acreditavam que, dando tudo o que o filho quisesse e educação de qualidade, ele estaria feliz. Dessa forma, o menino passava horas brincando sozinho com seu videogame ou com seus brinquedos, assim como diante da TV.

Com o passar do tempo, o rapaz começa a fazer amigos com pessoas de sua idade envolvidas com atividades ilícitas. Estas o convidam a fazer parte de um grupo no qual todos se tratam como família, onde todos são irmãos e defendem uns aos outros. Para o rapaz, essa é uma espécie de conexão desconhecida, pois pouco vivenciara na família de origem. Com a necessidade de pertencimento latente, o ímpeto de viver essa vida com o novo núcleo que o acolheu é enorme, fazendo com que busque atender a todas as expectativas do grupo, incluindo coisas indesejadas, como mentir para os pais, faltar com respeito com as pessoas, roubar até mesmo os familiares, embriagar-se, entre outras.

2. IMPORTÂNCIA

O segundo padrão é a **importância**, que se refere à necessidade inconsciente de se sentir querido, único e indispensável por um indivíduo (ou grupo de indivíduos) por meio das experiências vividas.

MEMÓRIAS DE UM DIA INESQUECÍVEL

Meu filho de 6 anos brincava no tapete da sala e eu o observava do sofá. Então deixei de lado o livro que estava lendo e me sentei no chão com ele, para brincarmos juntos. Fui piloto de corrida, astronauta, capitão de navio e super-herói. Meu filho tinha no rosto um sorriso igual ao meu, aquele tapete transformou-se em um portal mágico, e podíamos estar em qualquer lugar e ser vários personagens.

Por um momento, meu filho parou, segurou meu rosto com as duas mãos e perguntou:

– Pai, qual foi o dia mais legal da sua vida?

Aquela pergunta me pegou de surpresa. Recostei-me no sofá, parei um pouco para pensar, meu filho deitou-se no meu colo com olhos e coração atentos para a história que viria a seguir. Mentalmente, eu me perguntava qual momento da minha vida me trazia um sorriso no rosto. Então comecei:

– Filho, eu tinha 10 anos, e seu tio Mário, 7. Desde criança sempre gostei de ler, mas também era apaixonado por grandes navios. Chegou na cidade um navio internacional chamado Logos Hope, e ele era realmente grande! Meu pai preparou uma surpresa para mim e para seu tio: pediu que sua avó nos arrumasse para fazermos um passeio. Lembrei-me do quanto me senti importante e amado pelo meu pai, pois ele tirou um tempo só para estar com a gente...

– Que legal, pai!

– Pois é, filho. Mas você não imagina a surpresa que foi para o papai quando me vi diante de um navio enorme, com várias rampas de entrada e muitas janelinhas. Eu não sabia o que fazer! Então, ouvi a voz do meu pai dizendo: "Vamos conhecer o navio-biblioteca". Lembro-me de abraçar meu pai tão forte que ele começou a rir passando a mão na minha cabeça, me beijando e dizendo que poupasse as forças, pois iríamos andar muito para conhecer aquele navio todinho. Aquele dia foi inesquecível, meu filho! Na saída, papai comprou um navio de brinquedo pra mim e para o seu tio.

– É aquele que fica lá no seu quarto, papai?

– Exatamente, filhão! Lembrança de um dos melhores dias da minha vida...

A memória de importância se manifesta quando a criança recebe a atenção plena dos pais durante uma brincadeira ou uma conversa. Sem smartphone ou qualquer outra distração, ela consegue viver uma experiência completa de importância.

Outro grande exemplo de experiência positiva é uma festa de aniversário na infância. Em comemorações como essas, a criança tende a se sentir importante por todos que foram ao evento por causa dela. Os avós, os tios, os primos e os amigos foram prestigiá-la. Ela ganhou presentes, brincou e ficou no centro de toda a celebração, recebendo o afeto de todos.

FAMÍLIA: LUGAR DE BOAS MEMÓRIAS

Experienciar memórias de importância durante a infância nos faz recorrer, a todo momento, a quem realmente somos, inclusive nas adversidades.

Seja em casa, na escola, na comunidade, a criança sabe o quão importante é porque viveu a experiência; logo, ninguém pode tirar isso dela.

Além disso, é fundamental valorizar a contribuição da criança em casa, acompanhando cada evolução dela. Os primeiros passos, a primeira palavra escrita, a primeira nota máxima na escola. É preciso apoiar e validar as menores ações, como alguma ajuda que a criança ofereceu para arrumar a mesa ou o desenho que fez de presente para a mãe.

Também é essencial, desde cedo, que a criança tenha um propósito, que se sinta importante, amada incondicionalmente e que vivencie muitas experiências nas quais os pais deixaram tudo para ficar com ela, por exemplo, deixaram o trabalho para socorrê-la quando passou mal na escola; estiveram presentes na apresentação de teatro; estiveram ao lado dela no dia em que o time da escola perdeu, entre outras situações cotidianas.

Uma criança que por qualquer motivo não se sente importante tende a crescer insegura e emocionalmente machucada. Em geral, torna-se um adulto submisso às situações e às pessoas, com baixa autoestima e, em casos mais extremos, até com disfunções comportamentais.

Vale ressaltar aqui a enorme quantidade de crianças diagnosticadas com doenças como Transtorno de Déficit de Atenção e Hiperatividade (TDAH), mas que, na realidade, apresentam comportamento extremamente ativo para expressar uma necessidade que não está sendo atendida de se sentir importante, reconhecida, olhada, cuidada e amada. Ou, ainda, crianças desatentas em sala de aula não porque apresentam déficit cognitivo, mas porque estão sendo consumidas pela preocupação de os pais se separarem após presenciarem conflitos dos dois todos os dias. Exemplos como esses demonstram que, se queremos que nossos filhos se desenvolvam de maneira saudável e sejam bem-sucedidos naquilo que forem realizar e nos relacionamentos que vierem a ter, precisamos cuidar das experiências que eles estão tendo em casa e promover, intencionalmente, aquelas de que precisam para crescer fortes e saudáveis. Quando fazemos do nosso lar um ambiente de afeto, contribuímos para que nossos filhos aprendam mais e melhor na escola, sejam mais corajosos, criativos, ousados, resilientes e autoconfiantes.

3. CONEXÃO

O terceiro padrão é a **conexão**, que representa algo ainda mais inconsciente e intangível: os laços de amor. Se você já teve o prazer de olhar nos olhos de uma criança recém-nascida, provavelmente sentiu a sensação de estar sendo olhado na alma. Mesmo não sendo conscientes durante a vida, essas primeiras memórias são essenciais para o desenvolvimento emocional e físico de cada indivíduo.

Um caso interessantíssimo que expressa a importância das memórias de conexão na vida de um indivíduo é o da argentina María Laura Ferreyra,[7] que acordou do coma em que estava havia trinta dias para amamentar a filha. A menina de 2 anos, que ainda não visitara a mãe, aproximou-se dela, abraçou-a e fez o barulho característico de quando queria ser alimentada. Imediatamente, María acordou, tirou o vestido e amamentou a filha. Com isso, supomos simples toque da criança e o som que emitiu, provavelmente, ativaram a memória de conexão que ela possui com a filha, o que a fez acordar do coma.

Assim como o abraço, o V0[8] e um simples toque podem ser formas poderosas de conexão, seja com um irmão, uma irmã, a mãe,

---

[7] BAQUI, M. Em coma há um mês, mulher acorda para amamentar filha caçula na Argentina. **Correio Braziliense**, 28 nov. 2019. Disponível em: https://www.correiobraziliense.com.br/app/noticia/mundo/2019/11/28/interna_mundo,809972/em-coma-ha-um-mes-mulher-acorda-para-amamentar-filha-cacula-na-argent.shtml. Acesso em: 02 dez. 2020.

[8] Consiste em olhar profundamente nos olhos da outra pessoa, respirar com ela e se conectar. É um momento no qual as palavras não são necessárias e você está totalmente entregue ao instante, vivendo o aqui e o agora.

o pai, os filhos ou o cônjuge. A necessidade de conexão com nossos filhos não se resume aos primeiros anos de vida. Eles sempre vão precisar de nós.

Pode ser comum ver famílias sentadas ao redor da mesa, cada uma das pessoas imersa no próprio smartphone, mas isso não é normal. Pode ser comum ver adolescentes trancados em seus quartos, indiferentes e ingratos aos pais, mas isso não é normal. Pode ser comum ver membros de uma mesma família ficarem sem se falar por longo período de tempo, mas isso não é normal. Somos seres sociais e temos sede de conexão. Não de conexões negativas ou superficiais. Mas de conexões que nos façam nos sentir amados, importantes, valorosos e únicos. Qualquer coisa que nos distancie disso não pode ser considerada normal.

Quanto tempo faz que você não olha seus filhos nos olhos para perceber o que sentem de verdade? Qual foi a última vez que abraçou demoradamente cada um deles e sentiu que você e eles eram, de fato, uma coisa só? Com que frequência os tem elogiado pelos esforços e talentos?

São atitudes aparentemente simples, mas que fazem toda diferença quando falamos de construção de experiências positivas. As memórias formadas com base em cada um desses gestos e as palavras ditas são essenciais para a formação e o fortalecimento de nossas crenças de identidade e merecimento.

4. LIMITES/AUTORRESPONSABILIDADE

O quarto padrão é a memória de **limites**. Uma experiência que, não por acaso, optamos por colocar até mesmo no título deste livro, tamanha a importância que atribuímos a ela. Vivemos em uma época em que a dificuldade de proporcionar limites para os filhos parece se espalhar entre pais, mães e famílias que sequer compreendem o mal que estão fazendo aos filhos ao privá-los dessas experiências, dessas memórias.

Durante os cursos que eu ministro, no dia a dia e mesmo por meio das redes sociais, recebo relatos de inúmeros pais e mães, suas dúvidas com relação à criação dos filhos e seus desafios relacionados ao comportamento das crianças.

E é incrível perceber quantas dessas dificuldades poderiam ser evitadas, quantas dessas dúvidas seriam respondidas se esses mesmos pais e mães compreendessem a importância das experiências de limites na vida de seus filhos, no futuro de cada um deles, na felicidade e na saúde emocional que eles buscam e desejam para quem amam.

SARA BRAGA

Estabelecer limites é o maior ato de amor que você pode proporcionar ao seu filho. É um ato de cuidado, que demonstra o quanto você se importa com ele, com o futuro dele, a ponto de saber que, em determinados momentos, a melhor coisa que você pode fazer por quem mais ama é dizer um "não". Mesmo que seu filho se chateie, mesmo que ele até fique algumas horas sem falar com você.

Independentemente do preço a ser pago por uma atitude que, de maneiras diferentes, pode ser desconfortável tanto para a criança quanto para o pai ou mãe, proporcionar limites é tão necessário quanto desafiador. É saber se posicionar como pai, mãe ou responsável para prezar pelo bem-estar físico e emocional do seu bem mais precioso: seu filho.

Permitir que os filhos façam apenas o que querem desde a infância pode parecer uma forma de demonstrar carinho, de ser amigo deles, de tentar permitir que eles aprendam com as próprias experiências... Mas se trata, na verdade, de abandono. É colocar nas mãos deles decisões que eles não têm condições de assumir, e não deveriam precisar ainda.

Você pode estar se perguntando sobre, ou mesmo achando exagerado, o uso da palavra "abandono" quando falamos em não proporcionar limites, em permitir que os filhos façam apenas o que querem. Mas quer entender por que se trata exatamente disso?

Porque quando a criança nasce, ela é puramente emoção. A cognição não faz parte de sua vida nos primeiros anos e só aparece no final da infância. Sendo assim, a criança não sabe discernir o que é melhor para ela e espera, precisa, que os pais lhe digam o que fazer, o que pode fazer ou o que deve.

Quando os pais assumem esse papel, se posicionando, a criança se sente segura, tendo neles uma referência. Por outro lado, quando os pais permitem que a criança decida tudo, o que fazer, vestir, comer ou que horas dormir, a criança pode acabar se sentindo deixada de lado, sem importância, ou seja, abandonada.

SARA BRAGA

Dar limites é amar; não dar limites é abandonar, é o sussurro do descaso com a vida de um filho. É dando limites que eu garanto que o meu filho não caia nos buracos da vida, nem para a esquerda, nem para a direita. Quando você dá limites ao seu filho, você diz "Filho, se você for por aqui, você vai bater em uma árvore", "Filho, se você passar desse limite, você vai cair em um buraco", "Filho, se você não obedecer aos limites que eu estou proporcionando a você, você não vai conseguir fazer a próxima curva".

Dar limites é garantir que seu filho chegue ao destino dele. Imagine uma estrada, na qual eu saio de uma cidade para outra com um caminho todo sinalizado. A sinalização existe para estabelecer limites. As linhas no meio da pista dizem de que lado eu tenho que ficar, que eu não posso simplesmente ficar no meio. Existe um limite de velocidade, ele diz que é mais seguro eu viajar até uma certa quantidade de quilômetros por hora.

Não estabelecer limites é expor seus filhos a dor e sofrimento para eles e para quem está ao redor. Uma criança sem limites pode se transformar em uma criança mal-educada; um adolescente sem limites pode se tornar um delinquente; é possível que um adulto sem limites vire um criminoso; e um marido ou uma esposa sem limites pode se tornar alguém que não respeita a família, que trai o cônjuge. Proporcionar limites dentro da sua casa é construir um lar onde as pessoas se respeitam, se amam e vivem uma real felicidade.

Crianças, adolescentes e jovens precisam de limites para desenvolver perseverança e determinação para ir em busca de sonhos extraordinários; para aprender a importância que pode ter uma decisão de adiar o prazer imediato; para saber que seus pais se importam o suficiente com eles até para dizer "não" quando for o melhor para a vida, o futuro e o crescimento deles; e até mesmo para desenvolver responsabilidade pelos próprios atos e tomadas de decisões, assunto sobre o qual vamos falar um pouco mais ao longo deste tópico.

TODA CRIANÇA DEVE TER LIMITES

O excesso de liberdade pode ser tão prejudicial quanto a falta dela.

Se a criança não recebe limites claros nem é orientada para o que pode e não pode fazer, não está sendo educada. E vai, depois, sofrer com isso, quando outras crianças ou outros adultos não permitirem que ela faça tudo o que quiser.

Criança sem limites se torna insegura. Os limites devem ser claros, justos, valerem sempre e serem os mesmos para o pai e para a mãe.

É preciso evitar quebrar os limites; ou pode ou não pode. É ruim para a cabeça da criança poder fazer algumas vezes e outras não poder.

É preciso compreender também que é normal que a criança tente romper os limites. O que ela quer é ter certeza sobre quais são eles, de fato.

LUIZ LOBO

Nunca é cedo demais para começar a dar limites aos filhos. Pelo contrário, quanto mais cedo uma criança começar a viver essas experiências, mais e melhor vai usufruir delas e de suas consequências para a saúde emocional. Muitos pais e mães adiam proporcionar limites aos filhos por acharem que são muito pequenos para entender o que os pais estão tentando ensinar a eles.

No entanto, desde cedo, a criança precisa entender o que pode ou não fazer, por onde deve ou não ir. A um bebê precisa ser ensinado que ele não pode mexer na tomada, que ele não deve abrir a gaveta da cozinha onde estão as facas, que ele não pode brincar perto de um fogão. Da mesma forma que uma criança mais crescida precisa saber que existem horários para as refeições, para tomar banho, para brincar e também para dormir.

A um adolescente também precisa ser ensinado que existe uma hora para voltar para casa, que ele não pode fazer tudo que deseja, ir para todos os lugares que gostaria ou ir para alguns lugares sozinho.

Tudo isso pode e deve ser ensinado pelos pais, trata-se do papel mais essencial de uma mãe ou um pai responsável. Cada idade ou fase de desenvolvimento (sobre as quais falaremos em outro capítulo) trará suas próprias necessidades de ensinamentos e limites. Mais que isso, trará oportunidades para que você não abandone seu filho e proporcione a ele as experiências de limites de que ele precisa para crescer e evoluir como pessoa.

A idade do filho não pode ser uma desculpa para não dar e ensinar limites a eles. "Ele é muito pequeno, não vai entender"; "Ele já está crescido, de nada adianta começar agora". Todos os dias, nossos filhos estão pedindo limites, necessitando dos ensinamentos, das experiências e das memórias que só os pais ou responsáveis podem proporcionar.

Mesmo que um bebê não entenda cognitivamente a experiência de limite que estará sendo proporcionada, ele estará aprendendo em um nível muito mais profundo. E quanto a um adolescente já estar "velho demais" para começar a aprender a respeito do que pode ou não fazer, lembre-se de que proporcionar limites é um ato de amor e cuidado. Mesmo que, por algum motivo, você não tivesse dado nenhum amor ao seu filho adolescente até hoje, você não começaria a amar e cuidar dele a partir do momento em que tivesse consciência sobre como poderia fazer isso?

E se dar limites é um ato de amor, não se esqueça de fazer isso também com amor. Mesmo se você tiver que repetir a mesma orientação várias vezes, faça isso com amor, com paciência, olhando nos olhos do seu filho, sabendo o motivo pelo qual você está fazendo aquilo. Porque quer que ele aprenda, que ele cresça com limites, que ele saiba que é tão amado pelos pais.

A repetição também é uma expressão desse amor. É não parar no meio do caminho do ensinamento. É não desistir do que você sabe que seu filho precisa aprender. É saber que aquilo que está ensinando é tão importante para o futuro de quem você ama que você vai repetir a quantidade de vezes necessária para que aquele aprendizado faça parte da vida do seu filho. Até porque a criança precisa disso para aprender, a repetição faz parte do aprendizado dela de novos conhecimentos.

A criança precisa aprender com amor, e não vendo raiva nos pais e sentindo medo. Se você precisar dizer sete vezes "Filho, não pode ir na cozinha", que sejam sete vezes de uma orientação dada com paciência e carinho. Se, em algum desses momentos, você sentir que está prestes a perder a calma, espere, vá para outro cômodo, retome a calma perdida e volte para o ensinamento quando estiver preparado ou preparada para fazê-lo com o amor do qual ele necessita, que o seu filho merece de você.

Mas não deixe que um importante momento de aprendizado, que a vivência de uma experiência tão necessária à vida se transforme em um instante em que a criança vai testemunhar raiva e experimentar medo. Não permita que a experiência de proporcionar limites aos seus filhos se transforme em uma forma de impor seu poder como pai, mãe, ou responsável. Limites são um presente que você dá a quem ama.

Portanto, se você quer ter um filho bem-sucedido, forte e saudável emocionalmente, seja aquele que sabe dizer "não" quando necessário. Seja um pai ou mãe que se posiciona e que faz isso com amor; que permite que o filho se frustre, mas que não se permite ser a fonte dessa frustração.

Nunca é cedo demais para começar a dar limites aos filhos. Pelo contrário, quanto mais cedo uma criança começar a viver essas experiências, mais e melhor vai usufruir delas e de suas consequências para a saúde emocional.

Muitos pais, por medo de perder o amor dos filhos, deixam de se posicionar e acabam se tornando "amigos" dos filhos. São os pais a cujos filhos lhes é permitido o mau comportamento, que xingam o colega e não recebem a devida orientação sobre como isso machuca a outra pessoa; são os pais de filhos que, quando adolescentes, pensam que podem fazer qualquer coisa sem ter que lidar com as consequências de seus atos.

O filho diz "Pai, bebi todas hoje" ou "Chamei o professor de idiota" e, em vez de repreendê-lo, o pai ou a mãe ri da situação. Muitos podem até fazer algum comentário do tipo "Filho, isso está errado", mas permitem que os filhos continuem repetindo ações que ferem a integridade e o bem-estar deles mesmos e das pessoas ao redor.

Amigos são duas pessoas que estão no mesmo nível. Não há hierarquia entre elas. Portanto, não podem estabelecer limites sobre a vida uma da outra. Em casos como esse, são os filhos que decidem o que, quando, como e com quem vão estar. Afinal, a vida é deles! Ainda há pais que, quando o filho faz algo errado ou está na iminência de apresentar algum comportamento indevido, dizem apenas "Mas, amor...",

"Querido, assim não pode", "Por aí não, meu bem", e, no fim das contas, a criança não entende isso como limite e continua fazendo o que quer, sem nem saber necessariamente que está fazendo algo errado.

No entanto, os pais que não sabem proporcionar limites acreditam que a "culpa" é do filho, que não escuta, não obedece, é teimoso, e assim por diante. No futuro, são esses mesmos pais que estarão reclamando dos filhos e do que eles fazem. Desejando que lidar com eles fosse mais fácil. Tudo porque se eximiram e continuam se eximindo da responsabilidade, aliás, da autorresponsabilidade (tema que abordamos profundamente no Método CIS) de proporcionar limites a quem tanto amam.

Para proporcionar as experiências tão importantes de limites para os filhos, é imprescindível que os pais compreendam que dar limites não é apenas dizer "não", o que não significa que seja necessário ter medo da palavra ou de utilizá-la. Isso porque não existe palavra mais doce e importante na vida de uma criança do que um não dito com amor e firmeza.

A criança, em geral, só vai querer diversão ou conforto, dizendo frases como "Não quero comer", "Não quero ir para o colégio", mas o "não" imposto a ela é o que tira essa criança da zona de conforto, ensinando-a a fazer o que tem que ser feito, nutrindo socialização e sociabilidade nela. O "não" estabelece limites para ajudar a criança a viver a sua real identidade.

Quando falamos em limites, precisamos entender que o "não" não é para o trajeto, não é para simplesmente dizer "não vá", "não faça". O "não" é para o abismo além da estrada, é para os perigos que fazem parte dela. Quando você dá limites, como pai ou como mãe, você está dizendo "Vá, mas vá em segurança", "Vá por aqui para não cair em uma ribanceira", "Não vá por ali para não bater em uma árvore no caminho", "Não vá nessa velocidade para não sobrar em uma curva". Para dar limites aos nossos filhos, o "não" é sábio, é necessário, é correto.

Diante disso, alguém pode perguntar: "Mas uma criança que escuta muitos nãos, que é impedida de cair na ribanceira, não precisa também 'quebrar a cara', se frustrar?". E, então, nós é que precisamos perguntar: qual pai ou mãe, em sã consciência, vai se omitir de dar limites para ver o filho sofrer, para ver o filho experimentar dor?

A natureza humana é desobediente, naturalmente a criança ou o adolescente vai desobedecer em algum momento, vai violar os limites e vai "quebrar a cara". Mas vai quebrar muito menos se obedecer aos limites proporcionados pelos pais. E, mesmo quando desobedecer, que ela ou ele aprenda com a própria desobediência. Porque, novamente, os limites não são dados para impedir o filho de ir, de seguir a jornada dele, mas para impedi-lo de sair da estrada, de bater em um obstáculo, de se perder em uma curva, de cair em algum buraco.

Muitos pais e mães ainda entendem, hoje, limites como um sinônimo, uma imposição, de não poder ir, de não pode fazer, mas as verdadeiras experiências de limites significam mostrar e dizer que pode, que faça, mas que vá pelo caminho certo, mais seguro, mais ecológico, o caminho que vai ser melhor para a criança e até mesmo para as pessoas ao redor dela. "Filho, você pode brincar, desde que não suba naquele muro muito alto"; "Filha, você pode ficar no videogame, desde que não ultrapasse uma hora por dia".

O pai, a mãe, precisa dizer "não". O "não" dito com sabedoria é seguro, é divino.

Quantas crianças hoje, ainda pequenas, já estão vivendo com uma identidade de pequenos tiranos? A criança bateu em alguém e não foram dados limites a ela? Ela gritou e não recebeu nenhuma sanção? Ela chutou alguém e não foi feito nada?

A criança começa a perder sua identidade, assumindo uma identidade disfuncional perigosa, achando que é poderosa, que pode fazer qualquer coisa e nada nunca vai acontecer com ela.

Os limites que um pai ou uma mãe dá ao seu filho com "nãos" sábios e corretos ajudarão a criança a viver sua real identidade.

E A AUTORRESPONSABILIDADE?

A essa altura, você pode estar se perguntando "Mas qual é a ligação, a conexão, entre as experiências de limites e a autorresponsabilidade?". Da mesma forma que acontece com as experiências de limites, a criança precisa compreender e vivenciar experiências de autorresponsabilidade desde cedo.

O conceito de autorresponsabilidade é caracterizado e pode ser compreendido por meio do que chamamos de "As 6 Leis da Autorresponsabilidade", hábitos e práticas que, quando aplicados ao dia a dia, podem ser absolutamente transformadores.

1. *Se é para criticar, cale-se.*
2. *Se é para reclamar, dê sugestão.*
3. *Se é para buscar culpados, busque solução.*

4. *Se é para se fazer de vítima, faça-se de vencedor.*
5. *Se é para justificar seus erros, aprenda com eles.*
6. *Se é para julgar as pessoas, julgue apenas suas atitudes e comportamentos.*

PAULO VIEIRA, *em* O poder da autorresponsabilidade.

Para os pais ou responsáveis que assumem essa postura diante da própria vida, a autorresponsabilidade proporciona mais controle sobre todos os aspectos do dia a dia, além do aprendizado necessário para solucionar problemas, conflitos e obstáculos. Compreender o que a autorresponsabilidade significa e pode fazer em cada área da vida de uma pessoa, assumindo uma postura autorresponsável nelas, é essencial para obter sucesso na educação dos filhos, que aprendem muito mais copiando e imitando as ações e atitudes que observam.

Aprender sobre a autorresponsabilidade desde cedo é uma oportunidade única para qualquer pessoa, qualquer criança, que terá a vida inteira para usufruir dos benefícios do conceito e de uma postura autorresponsável.

A criança precisa, com todo o amor do pai ou da mãe, entender que suas ações, suas atitudes e as escolhas que faz têm consequências; não para que sinta culpa, mas para que, desde pequena, aprenda a assumir de modo consciente a responsabilidade dos seus atos. Essa é uma importante forma de proporcionar limites para a criança: além de ensinar o que ela pode ou não pode fazer, ensinar que tudo que ela faz é acompanhado de consequências.

É claro que, da mesma forma que acontece com os limites, cada idade, etapa e fase de desenvolvimento da criança trará as melhores formas e oportunidades para ensinar a importância da responsabilidade sobre as próprias ações.

Por exemplo, uma criança que se recusa a estudar para uma prova e, assim, tira uma nota baixa pode, com a ajuda dos pais, entender a relação entre sua escolha e o resultado que obteve. Dessa forma, ela vai saber que, quando quiser obter uma boa nota, precisa assumir a responsabilidade diante do resultado que busca e estudar para isso.

Da mesma maneira, uma criança mais nova que está sempre deixando os brinquedos espalhados pela casa e acaba perdendo um deles tem a oportunidade de vivenciar que, se não quiser que isso aconteça, precisa guardá-los em seus respectivos lugares ao final

44   EDUCAR, AMAR E DAR LIMITES

da atividade.

Aprender sobre autorresponsabilidade é, por si só, uma experiência de limites porque ela nos ensina que, se não quisermos obter certos resultados, existem certas coisas que não devemos fazer. Esse é um dos muitos motivos pelos quais nunca cansamos de falar o quanto a autorresponsabilidade é um conceito libertador.

Embora a criança seja dependente dos pais e, portanto, não possa mudar a própria vida por meio da autorresponsabilidade, a sua vida pode, sim, ser transformada pelo exemplo dos pais e por um aprendizado iniciado desde cedo a respeito do que ela significa, o que certamente vai impactar todo o seu futuro de maneira extraordinária.

O livro O poder da ação para crianças, uma parceria extraordinária entre mim e o cartunista e escritor Mauricio de Sousa, aborda a autorresponsabilidade de uma forma única.

Ele possibilita o aprendizado infantil de maneira lúdica por meio de diversas histórias protagonizadas pela Turma da Mônica e seus personagens tão conhecidos e amados por pessoas de todas as idades.

Foi uma forma que pensamos e encontramos para nutrir esse conceito poderoso, tão importante na vida de qualquer ser humano, desde cedo na vida de nossas crianças, que vão crescer colhendo os frutos e usufruindo da liberdade de vivenciar o comando da própria vida.

Para pais e responsáveis que buscam inserir a autorresponsabilidade na vida dos seus filhos, esse livro é uma ferramenta sem igual para um aprendizado duradouro, com resultados fundamentais para um futuro extraordinário.

Um dos aspectos trabalhados, e adaptados, a respeito da autorresponsabilidade nesse livro direcionado para as crianças foi justamente "As 6 Leis da Autorresponsabilidade", com as quais seus filhos podem aprender (e com certeza usufruir) desde a infância:

1. Não critique as pessoas, procure compreendê-las.

2. Em vez de reclamar das situações, dê novas ideias e sugestões.

3. Em vez de buscar um culpado por um problema, busque uma solução.

4. É muito melhor se fazer de vencedor do que se fazer de vítima.

5. Aprenda com seus erros, em vez de só arrumar desculpas para eles.

6. Não julgue as pessoas, entenda as suas atitudes.

PAULO VIEIRA

As experiências de limites/autorresponsabilidade possibilitam à criança, aos poucos, consciência sobre o que deve ou não fazer, sobre como o que ela escolhe fazer está conectado aos resultados que ela alcança e, consequentemente, mais prudência com as próprias decisões, com as atitudes que toma. É um aprendizado intrinsecamente ligado às experiências de limites.

Pais, mães e responsáveis, como os adultos de referência para a criança, além de falar sobre autorresponsabilidade, precisam ensiná-la principalmente pelo exemplo. Os filhos estão sempre observando e mesmo copiando muitas das atitudes e ações dos pais e das mães, faz parte do desenvolvimento e do crescimento deles.

Portanto, além de a autorresponsabilidade ser importante na vida de todo e qualquer ser humano, talvez seja ainda mais na vida daqueles que têm filhos, pela necessidade da criança de aprender a respeito desde cedo por meio do exemplo encontrado nos adultos que fazem parte da vida dela.

Com relação a esse tema, o que seu filho vê, hoje, quando olha para você em diversas situações da vida e do dia a dia? Uma pessoa que está sempre buscando culpados para o que acontece com ela? Ou alguém que assume uma postura autorresponsável diante dos próprios resultados e sabe que é a única que pode realmente transformá-los?

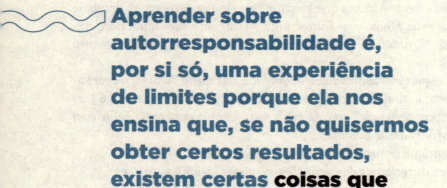

Aprender sobre autorresponsabilidade é, por si só, uma experiência de limites porque ela nos ensina que, se não quisermos obter certos resultados, existem certas coisas que não devemos fazer.

5. GENEROSIDADE

O quinto padrão de memórias é a **generosidade**, que representa a disponibilidade em contribuir e compartilhar com o outro. Auxiliar um necessitado, doar um brinquedo ou mesmo se oferecer para ajudar alguém a preparar uma comida são atitudes que a criança precisa experimentar por meio dos pais. Não apenas em dias especiais, mas no cotidiano, os atos de gentileza precisam fazer parte da vida em família.

> **As crianças aprendem o que é ser generoso vendo e praticando elas mesmas. É um exercício diário que não se restringe ao ambiente do lar, mas a qualquer um em que estejam inseridas.**

As crianças estão, a todo momento, absorvendo tudo o que podem de todos os ambientes com os quais têm contato. Isso porque, nos primeiros anos de vida, é realizado um número altíssimo de conexões sinápticas. Portanto, para que seus filhos aprendam o que é generosidade e possam praticá-la na própria vida e na das pessoas que os rodeiam, precisam vivenciá-la em casa desde cedo.

Quanto mais generosidade puderem ver e experienciar, melhor. Das menores, como auxiliar o colega de escola que está com dificuldade em determinada disciplina, fazer companhia à vovó que se sente sozinha ou dar uma carona ao vizinho, até as maiores, como visitas a instituições de caridade e campanhas de arrecadação de brinquedos e alimentos. Ter atitudes generosas traz mais benefícios para quem as pratica que para quem as recebe. Conscientemente, gera satisfação; inconscientemente, fomenta o padrão de experiências de generosidade que vão preenchendo o cilindro de memórias fortalecedoras e curativas, deixando as memórias negativas para trás.

6. CRESCIMENTO

O sexto padrão é o **crescimento**, que representa a autopercepção de crescimento físico e está diretamente relacionado à autoestima e à autoconfiança. É importante para a criança perceber-se crescendo.

Quem nunca ficou diante do espelho observando o quanto crescera desde a última medição? É comum esse tipo de curiosidade na infância porque a necessidade de a criança se ver sempre maior é real.

Lembro-me de que, quando morava no Rio, tinha um tênis extraordinário, de que gostava muito, com um cadarço gigante que amarrava embaixo. Eu me sentia o máximo quando estava com ele. Corria bem rápido e pulava para ver se havia crescido. Outra memória boa é o desenho animado Popeye. Quando via o personagem na televisão, corria para pedir espinafre à mamãe; depois, corria para a sala para ver se conseguia levantar o sofá. Essa percepção de crescimento é fundamental para a criança.

PAULO VIEIRA

Existe ainda o crescimento simbólico. Celebrações de aniversário, formatura infantil, formatura do ensino médio, colação de grau e até uma promoção no trabalho são ocasiões em que vamos percebendo o quanto crescemos nas diferentes fases da vida. Da mesma forma que isso é importante para nós, adultos, também o é para as crianças.

7. MISSÃO

O sétimo padrão é a **missão**, que representa as experiências nas quais a criança vivencia um propósito de vida. Assim como a generosidade, cabe aos adultos a condução de uma vida familiar regida por uma missão de valor.

Ações como levar o filho a uma praça para ajudar pessoas em situação de rua, oferecendo-lhes comida, roupas ou até mesmo uma palavra de apoio, além de ser uma atitude de generosidade e crescimento, é uma forma de proporcionar uma mudança no mundo.

Entre outros exemplos em que é possível incutir memórias de missão nas crianças estão campanhas de limpeza da orla de praias, adoção de animais de estimação e plantação de mudas de árvores em locais com pouca vegetação.

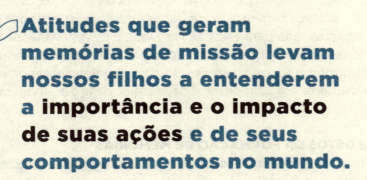

> **Atitudes que geram memórias de missão levam nossos filhos a entenderem a importância e o impacto de suas ações e de seus comportamentos no mundo.**

Memórias de missão são experiências nas quais seu filho age com algum propósito.

Vou exemplificar isso com um caso real. No aniversário de 6 anos do filho, a mãe perguntou que tema ele gostaria para a comemoração. O garoto respondeu: "Quero que seja

FAMÍLIA: LUGAR DE BOAS MEMÓRIAS 49

confeitaria". E explicou: "Quero fazer docinhos para vender e arrecadar dinheiro para tirar meus 'irmãozinhos' da rua". A mãe, comovida e contente, assim o fez. Foram vendidos kits com doze docinhos, nos quais não havia valor estipulado. Cada comprador pagava segundo seu desejo. Por fim, foram arrecadados mais de 30 mil reais, e uma nova casa da instituição social foi construída para acolher pessoas em situação de rua.

Com base nessa história, vemos que para gerar memórias de missão é importante levar em consideração a fase em que nossos filhos se encontram e aproveitar o interesse natural que surge no coração deles. Frequentemente, eles vão se espelhar em nós. Se desenvolvemos algum trabalho de assistência a pessoas em situação de rua, por exemplo, nossos filhos também poderão querer contribuir à sua maneira. Outras vezes, podem ter sensibilidade maior com a natureza, por exemplo, e querer alimentar animais de rua. Se for ecológico, ou seja, bom para a criança e para aqueles à sua volta, por que não permitir que ela vivencie essas experiências que fazem seus olhos brilhar?

Os sete padrões de memória (experiências de pertencimento, importância, conexão, limites/autorresponsabilidade, crescimento, generosidade e missão) são vivências que se entrelaçam. Imagine um passeio em família onde os filhos podem viver experiências de pertencimento ao andar de bicicleta com os pais; de importância, ao perceberem que os pais deixaram tudo para estar ali com eles; e de generosidade, ao ajudarem, na volta do passeio, o vigilante que passava mal. Quantas memórias positivas foram vividas e registradas, potencializando nos filhos crenças fortalecedoras de identidade, capacidade e merecimento.

PRESSUPOSTOS DA FORMAÇÃO DE MEMÓRIAS

Já entendemos que memórias negativas fortes são carregadas de conectores de sentimentos negativos. Esses sentimentos, também chamados tóxicos, alimentam nossos vícios emocionais, interferindo de modo destrutivo na construção de um ambiente emocional de memórias e influenciando diretamente em nossas crenças de capacidade, identidade e merecimento.

Por esse motivo, com o intuito de modificar o significado dessas memórias ruins, elaboramos 27 pressupostos baseados em tudo o que já foi visto até o momento, de acordo com a **Teoria Geral das Memórias (TGM)**, *desenvolvida por mim, Paulo Vieira.*

1º Todo pensamento ou lembrança torna-se imediatamente uma memória VAS no presente. O cérebro não distingue o real do imaginário. O
que determina a força dessa memória são a intensidade emocional
do pensamento e o número de vezes que nos lembramos dele.

2º Tudo o que experienciamos se torna uma memória, e toda memória é
acumulada ordenadamente em nosso ambiente emocional das memórias.
Tudo o que imaginamos também se torna uma memória no microinstante do presente e, depois, no passado.
Tudo o que dizemos ou ouvimos também vira memória no microinstante do presente, depois no passado.

3º O que nos afasta de memórias ruins não é o tempo, mas a superpo-
sição ou o acúmulo de memórias boas.
Mito: Só o tempo faz esquecer as memórias ruins.

4º Quanto mais memórias boas ou bons significados na infância, mais
forte, blindada e preparada estará a criança para ter uma fase adulta
próspera.

5º A superproteção e a falta de limites são exemplos claros de boas
memórias VAS, porém com péssimos significados e sentimentos.

6º É muito comum vivenciarmos limitação e sofrimento no passado e,
mesmo assim, essas mesmas memórias VAS produzirem significados,
sentimentos e crenças de prosperidade. Por exemplo: "Vou ganhar
muito dinheiro para nunca mais passar por isso".

7º Qualquer processo que leve a pessoa a se lembrar sistematicamente
da memória de dor sem fazê-la ver/imaginar uma solução para isso
estará contribuindo para a ansiedade, a depressão, a somatização
física e os resultados ruins.
Reforçando: o cérebro não distingue o real do imaginário.

8º Na mente humana, visão de futuro é passado.

9º Empilhar, de modo sequencial, boas memórias ou experiências positivas, mesmo que por meio da imaginação repetida ou por forte impacto
emocional, trará restauração física, emocional e bons resultados.

10º As três maneiras de combater qualquer tipo de insucesso decorrente
de memórias do passado são:
• Trazer novos e bons sentimentos.
• Mudar o significado.
• Alterar os elementos das memórias.

11º Para mudar qualquer aspecto na vida, é necessário oferecer o estímulo
certo, na intensidade certa, pelo tempo certo. Os estímulos certos são
memórias VAS, novos significados, sentimentos e conceitos.

FAMÍLIA: LUGAR DE BOAS MEMÓRIAS

12º Bons sentimentos:
- Não relembrar memórias ruins.
- Melhorar o significado de tudo de ruim que aconteceu.
- Alterar positivamente as memórias VAS do que aconteceu.
- Ter resiliência e esperança.

13º Para a Física Quântica, quem cria a realidade é o observador. E observamos com os olhos da mente (imaginação e pensamento), não com os da face.

14º Sempre que acessamos consciente ou inconscientemente nossas memórias, alteramos nossos sentimentos e nossas crenças. E são os gatilhos[9] que nos fazem lembrar. Elimine o gatilho sensorial e não será mais assediado pela memória ruim.

15º A sobrevivência e o bem-estar físico e emocional levam ao acúmulo ou ao empilhamento de mais memórias boas (reais ou imaginadas). Sendo assim, podemos nos restaurar a qualquer hora.

16º A depressão pode se manifestar por relembrarmos repetidamente (de modo consciente ou inconsciente) memórias de dor do passado, as quais causam sentimentos tóxicos e significados equivocados. E por nos associarmos às memórias ruins e nos dissociarmos das boas.

17º A depressão pode decorrer de:
- Experiências ruins.
- Associações a memórias ruins.
- Ausência de memórias boas.
- Acúmulo de memórias ruins.
- Acúmulo de significados ruins.
- Significados ruins atribuídos a memórias boas.

18º A ansiedade pode se manifestar por experienciarmos, pela imaginação, um futuro onde tudo depende de nós, sem haver pessoas capazes ou dispostas a nos ajudar. Assim, imaginamos tanto esse futuro difícil que as "memórias do passado" nos tornam ansiosos, estressados e apáticos.

19º Na vida adulta, sempre tentaremos recriar ou reproduzir um dos três elementos experienciados na infância: memória VAS, sentimentos e significados/valores. A isso chamamos repetição de padrão.

---

9 Gatilho é o sentimento que desperta recordações onde a pessoa se sentiu inadequada, com raiva ou mesmo abandonada. E esse sentimento interfere diretamente nas suas ações. Por exemplo: uma pessoa que, durante a infância, foi humilhada publicamente, na fase adulta, ao ver outro indivíduo passar por uma situação semelhante, pode apresentar uma reação talvez desproporcional (como choro ou gritos) porque aquele acontecimento atua como um gatilho para ela.

20º **Trauma 1:** *memória ruim muito intensa.*
Trauma 2: *memória negativa trivial repetida muitas vezes.*
Trauma 3: *memória intensa, com conectores de sentimentos elevados. Tudo isso com significados polarizados.*

21º *A somatização vem do acúmulo de memórias VAS negativas ou da ausência de memórias VAS positivas. E ainda, da incapacidade de dar bons significados às boas experiências. Com o passar do tempo, isso pode trazer doenças físicas e emocionais.*

22º *Sentimentos tóxicos alteram todos os significados e a própria memória sensorial.*

23º *Mesmo que você não se lembre das memórias (boas ou ruins) em nível consciente, elas permanecem vivas no subconsciente, produzindo resultados.*

24º *A criação e a multiplicação de memórias artificiais positivas enterram as memórias antigas negativas até o ponto de desaparecerem em nível consciente e inconsciente.*
Quando não souber o que fazer, ame e perdoe.

25º *Memórias de medo, sofrimento e frustração são fundamentais para o crescimento e o progresso humano, desde que acrescidas de bons significados e bons sentimentos.*

26º *Sentimentos positivos sobre uma memória específica melhoram o significado e positivam as crenças limitantes.*

27º *As memórias mais lembradas são:*
* *As mais recentes.*
* *As mais espessas.*
* *As carregadas de sentimentos mais fortes.*

De modo resumido, a Teoria Geral das Memórias (TGM) propõe que, por meio da ressignificação das memórias, qualquer pessoa possa mudar qualquer aspecto de sua vida de maneira extraordinária. Só precisa dar o estímulo certo, na intensidade certa, pelo tempo certo. E isso, entre muitos outros conteúdos necessários, aprendemos a fazer no maior treinamento de inteligência emocional do mundo, o Método CIS.

Imagine quantas possibilidades esse conteúdo pode trazer para sua família se você colocar em prática experiências que vão gerar memórias positivas e fortalecedoras em seus filhos.

A partir de como se estrutura o ambiente emocional das memórias, há algumas formas que permitem alterar esses elementos. Como exemplo, eliminar as experiências VAS que produziram memórias ruins e, no lugar delas, inserir memórias positivas relacionadas ao VAS negativo, podendo ser uma experiência real ou imaginada. Lembre-se mais uma vez de que o cérebro não diferencia o real do imaginado.

> **Acima de tudo, lembre-se de que a criança é o reflexo das situações que vivencia. Portanto, a melhor forma de ensiná-las é pelo exemplo.**

EXERCÍCIOS

1. Com base na leitura deste capítulo, escreva a seguir quais são as experiências que você tem proporcionado ao(s) seu(s) filho(s).

_____

_____

_____

_____

_____

_____

_____

_____

_____

_____

2. Registre os novos hábitos que você deseja criar (ou intensificar) em sua família (para contemplar e garantir experiências dos sete padrões de memórias) conforme o exemplo a seguir.

Após participar do workshop "Família, lugar de boas memórias", Maria voltou para casa e criou o seguinte quadro para proporcionar aos filhos a vivência das experiências dos sete padrões de memória por meio da construção de novos hábitos positivos.

EXPERIÊNCIAS	FREQUÊNCIA	DATA DE INÍCIO
Almoçar com meus filhos	2 vezes por semana	A partir do dia 21 de abril de 2020
Colocar meus filhos para dormir às 20 horas, contando-lhes histórias, fazendo massagem em seus pés e orando com eles	Todos os dias	A partir do dia 21 de abril de 2020
Assistir a um filme com toda a família comendo pipoca no mesmo pote	Uma vez por semana	A partir do dia 22 de abril de 2020
Preparar o almoço juntos	Todos os domingos	A partir do dia 21 de maio de 2020
Levar meus filhos ao parque preferido deles	A cada dois meses	A partir do dia 30 de junho de 2020

Agora é a sua vez de preencher o seu:

Quadro da _____ (seu nome).

EXPERIÊNCIAS	FREQUÊNCIA	DATA DE INÍCIO

FAMÍLIA: LUGAR DE BOAS MEMÓRIAS 55

3. Se esses novos hábitos virarem rotina, como será a sua família?

_____
_____
_____
_____
_____
_____
_____

4. Quais decisões você toma?

_____
_____
_____
_____
_____
_____
_____

EXERCÍCIO VAS

Propomos, a seguir, um exercício de visualização. Como dizemos no Coaching Integral Sistêmico,[10] o cérebro não distingue o real do imaginado. Este exercício, portanto, possibilitará a criação de caminhos neurais para que você possa colocar em prática esses novos hábitos.

Para realizá-lo, procure um ambiente tranquilo. Se possível, coloque uma música relaxante de fundo. Sente-se em posição confortável e respire fundo. Permita-se visualizar por alguns minutos, com os olhos fechados, você realizando todas essas experiências com seus filhos. Observe as cores presentes no ambiente, sinta os aromas, perceba a temperatura do local onde está, ouça os sons, troque sorrisos, abrace seus filhos e escute o que eles lhe dizem neste momento, identificando qual é o sentimento que o invade quando experiencia isso e permitindo-se vivenciar cada emoção!

---

10 O Coaching Integral Sistêmico é considerado a evolução do coaching tradicional, pois, além de trabalhar o lado cognitivo do cérebro, é capaz de refazer crenças e desenvolver competências emocionais, alcançando melhores resultados em todas as áreas da vida.

CONTEÚDO COMPLEMENTAR
- Vídeo *As 7 experiências fundamentais para gerar boas memórias*. Disponível em: https://www.youtube.com/watch?v=8dHzxS5L5Tc. Acesso em: 15 nov. 2020.

Aponte a câmera do celular para o QR CODE ao lado para assistir ao vídeo.

AÇÕES E DECISÕES:

58 EDUCAR, AMAR E DAR LIMITES

CAPÍTULO 2

AUTOESTIMA:
A base da força emocional

"Aprender a olhar e ouvir o outro só pode acontecer quando o indivíduo cultiva o hábito de aprender a olhar e ouvir a si mesmo."

JEAN VAYSSE

Amar-se. Essa é uma prerrogativa presente em muitas culturas e item principal para ter sucesso nas relações e alcançar alta performance em todos os níveis da vida.

Na Bíblia, em Mateus 22:39, há um ensinamento simples, porém libertador: "Ama teu próximo como a ti mesmo". Nessa perspectiva, amar a nós mesmos é pré-requisito do amor que doamos aos nossos filhos, aos nossos cônjuges e a todos os que estão ao nosso redor.

Durante os treinamentos, sempre recebi muitos pais procurando por uma solução para os problemas dos filhos. Entendi que só conseguiria contribuir, de fato, com aquelas famílias se as ajudasse a perceber que a mudança precisaria partir dos responsáveis. Afinal, quando mudamos, tudo muda ao nosso redor.

Hoje entendo que um dos maiores atos de amor em relação aos meus filhos é amar a mim mesma, pois, antes de tudo, sou referência para eles.

SARA BRAGA

Se há uma coisa da qual não resta dúvida é a de que pais amam os filhos. Porém, nas tentativas de amar, também cometem erros. Um deles, por exemplo, acontece quando os pais "abandonam" a própria vida para viver apenas para o filho. Esses pais acabam descuidando da própria saúde, largando os estudos, negligenciando a vida conjugal, deixando de lado a vida espiritual, enfim, passam a viver unicamente pelos filhos.

A tendência é que, com o passar dos anos, esses pais cobrem a conta dos filhos. Quantos pais dizem aos filhos: "Abandonei a faculdade para criar você, deixei de viajar, trabalhei incansavelmente para lhe dar tudo do bom e do melhor"? Com isso, lançam toda a responsabilidade das escolhas que fizeram nos filhos, fazendo-os se sentir "culpados" por se acharem um "peso" ou um "fardo" aos pais.

Por isso, reflita comigo: como anda sua comunicação?

Crianças pequenas ainda não desenvolveram os filtros da cognição e absorvem a forma como são tratadas como verdade absoluta; à medida que vão crescendo, a cognição também avança, porém aquilo que os pais comunicam tem uma força muito grande nos filhos. Quantas situações vivemos hoje, como adultos, fruto do que vimos, ouvimos e sentimos ao longo da vida, que deixou em nós sentimentos de inadequação, medo, ansiedade? Quantas oportunidades perdemos por causa da autoimagem distorcida, pela crença de incapacidade e não merecimento? Seu filho não precisa vivenciar isso.

Em meus treinamentos e mentorias, costumo dizer sempre aos pais: "Seus filhos não pediram para nascer. Amar precisa ser um ato de liberdade e de escolha. Nossa felicidade está em nossas mãos, não nas mãos de outrem".

Quando passamos a assumir uma postura autorresponsável diante da vida e dos nossos relacionamentos, nos tornamos pais e seres humanos melhores para nós mesmos e para o mundo.

Agora, convido você a percorrer um caminho em busca de resgatar a autoestima e o amor-próprio. Venha comigo! Mesmo que essa jornada nem sempre seja tão fácil, posso lhe garantir que vale a pena. Assim como me dar conta disso transformou minha vida e a das milhares de famílias impactadas pelo Coaching Integral Sistêmico, tenho certeza de que mudará radicalmente os resultados que você colhe hoje. Não só você, mas todos ao seu redor, sobretudo seus filhos, vão se beneficiar com a mudança.

PAULO VIEIRA

ENTENDENDO A AUTOESTIMA

Mas afinal, o que é autoestima? Autoestima refere-se ao bem que você quer a si mesmo e a alegria que sente por ser quem é. Segundo Dorothy Corkille Briggs, autora do livro A *autoestima do seu filho* (Martins Fontes, 2002), trata-se de um sentimento de autorrespeito, uma certeza do próprio valor. Quando a sentimos, ficamos interiormente satisfeitos em ser quem somos.

Muitas vezes, vemos pessoas tentando se autoafirmar por meio da busca por conhecimento, competência, bens materiais, casamento, paternidade, dedicação à caridade, cirurgias plásticas, e isso, por si só, não está certo nem errado. O problema é que, com frequência, essas pessoas acabam subindo a montanha errada, e, por trás de todos esses feitos, estão escondidas a arrogância, a prepotência e a vaidade. Quando agimos com base em motivações erradas, podemos nos sentir melhor temporariamente. Porém, cedo ou tarde, tudo pode ruir.

Por outro lado, quando nossas ações estão relacionadas à nossa autoestima, agimos com tranquilidade e segurança, sem a preocupação de provar nada a ninguém, e melhor: passamos a ser referência para aqueles que amamos.

Portanto, a percepção que o indivíduo tem de si mesmo baseia-se em três crenças principais: na crença de identidade, que se refere a quem sou; na crença de capacidade, que se refere ao fazer (posso ou sou capaz); e, finalmente, na crença de merecimento (eu mereço).

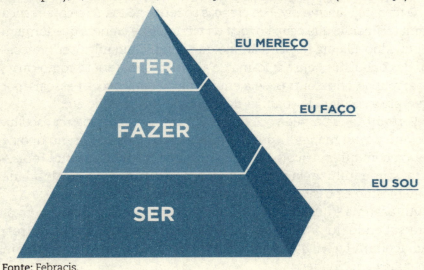

Fonte: Febracis.

 **A tragédia é que existem muitas pessoas que procuram a autoconfiança e a autoestima em todos os lugares, menos dentro delas mesmas, e, assim, fracassam em sua busca.**

NATHANIEL BRANDEN

De acordo com a pirâmide do indivíduo, é possível perceber que a base se refere à sua crença de identidade, que é justamente o que define quem uma pessoa é. A percepção que um indivíduo tem sobre si vai determinar sua autoimagem, ou seja, como ele se percebe e como se relaciona consigo mesmo (com estima ou não), o que refletirá, de maneira direta, nos comportamentos que assumirá no dia a dia.

A crença de capacidade é determinada pelo que uma pessoa acredita ser capaz de fazer ou aprender a fazer. É essa estrutura de crença que determina o potencial de realização de alguém. No entanto, veja bem, ela apenas determina o potencial de realização, pois a realização propriamente dita é a combinação entre a crença de identidade e a de capacidade.

O terceiro e último nível de crenças se refere ao ter, ou seja, à crença de merecimento, que ocupa o topo da pirâmide de crenças que formam o indivíduo. Ela diz respeito àquilo que o indivíduo julga ser merecedor de conquistar, seja em forma de aquisições materiais, como carro, casa, roupas, entre outras, seja em forma de realizações pessoais, por exemplo a escolha do cônjuge, da profissão, do trabalho etc.

Portanto, a ideia que você faz de si mesmo influencia na escolha dos amigos, na maneira como se relaciona com os outros, no tipo de pessoa com quem escolhe se casar e na produtividade que terá. A autoestima influencia a criatividade, a integridade, a estabilidade e até mesmo a possibilidade de ser líder ou seguidor.

Autoestima é quão bem queremos a nós mesmos. Filhos que crescem sabendo do próprio valor não mendigam o amor dos outros, não aceitam *bullying* e são mais perseverantes, porque acreditam em suas capacidades.

Os sentimentos do próprio valor formam a essência da personalidade e determinam o uso que uma pessoa fará de suas aptidões e habilidades. A atitude para consigo mesmo tem influência direta sobre a maneira pela qual todos os aspectos da vida são vividos.

COMO SE FORMA A AUTOESTIMA

Antes mesmo de aprendermos a falar, nossa autoestima vai sendo formada a partir dos sentimentos de amor e valor experimentados com nossos pais. Ou seja, com base nesses sentimentos, temos a percepção de que podemos ser amados e de que somos dignos. Quando você comemora com seu filho cada pequena conquista, a primeira vez que ele montou sozinho um brinquedo, a leitura da primeira palavra, os desenhos coloridos, está contribuindo para a formação da autoestima dele.

Depois, quando começamos a falar e a compreender o que nos está sendo dito, a autoestima vai se consolidando cada vez mais, ao passo que evoluímos como seres humanos.

Nesse processo, um conceito interessante apresentado por Briggs é o de que pais e/ou cuidadores são como um espelho psicológico que os filhos utilizam para construir a própria identidade. E toda a vida deles pode ser afetada pelo que concluíram a partir do comportamento e da comunicação verbal manifestada pelos adultos de referência.

Durante a primeira infância, os pais são como deuses. Mas por um breve período de tempo, pois logo outros espelhos passam a fazer parte da vida dos filhos: irmãos, amigos, professores. Pessoas que vão compondo seu círculo social.

Sabemos que, como aponta Briggs, a individualidade (ou a personalidade) é uma realização social que se aprende na convivência com os outros. Da mesma forma, a autoestima é construída na relação inicial com os pais e depois com as outras pessoas que passam a conviver quase que diariamente com a criança.

Especialistas apontam que, ao receberem atenção, sorrisos, carinhos, ouvir canções e conversas, as crianças têm sua autoestima estimulada.[11]

---

[11] CARPEGIANI, F. Autoestima: como ensiná-la para as crianças. **Crescer**, 24 jun. 2013. Disponível em: https://revistacrescer.globo.com/Criancas/Comportamento/noticia/2013/06/como-ensinar-autoestima-para-criancas.html. Acesso em: 11 dez. 2020.

É como se pensassem "Devo ser muito importante e valoroso". Além do modo como é tratado, o bebê é marcado pela maneira como é fisicamente acolhido pelos adultos responsáveis por ele. Sente se é posto no colo com carinho ou descuido. E cria, com base nessas experiências, impressões generalizadas sobre si mesmo e sobre o mundo que o cerca.

Ao aprenderem a falar e compreenderem o que lhes é dito, as crianças passam a descobrir um novo caminho para entenderem quem são. Com isso, o que dizemos a elas ganha um peso muito maior. Se falarmos com nossos filhos com raiva constantemente ou explodirmos a cada mau comportamento que tiverem, em meio a tantas acusações verbais eles acabarão concluindo: "Eu sou uma criança ruim. Quem vai gostar de mim se mamãe e papai não gostam?".

Em contrapartida, crianças que experimentaram tempo de qualidade com a família; tiveram experiências que as fizeram se sentir amadas, importantes, conectadas com os pais; foram exortadas por suas falhas, tendo a identidade preservada, possivelmente entenderam que eram valorosas, adequadas, capazes e merecedores de coisas boas. E esses reflexos resultam, principalmente, das experiências vivenciadas com os adultos de referência.

Portanto, todas as experiências ocorridas conosco na infância, repetidas vezes ou sob forte impacto emocional, com os adultos de referência, construíram nossa percepção de mundo, assim como nossa autoimagem – percepção essa que formou nossos sistemas de crenças.

FORMAÇÃO DE CRENÇAS

Crença, como já vimos ao longo deste livro e aprofundamos ainda mais no Método CIS, nada mais é que toda programação mental (sinapses neurais) adquirida como aprendizado durante a vida e que determina os comportamentos, as atitudes, os resultados, as conquistas e a qualidade de vida de uma pessoa.

Tudo o que se vê, ouve e sente repetidamente, ou sob forte impacto emocional, gera crenças em um indivíduo. E tudo o que uma pessoa tem, é, faz ou com quem se relaciona é determinado pelas crenças que ela tem sobre si mesma. Em outras palavras, sua existência é determinada por suas maiores certezas, pelas convicções mais profundas que ela tem sobre si e sobre o mundo.

A crença é como um programa de computador, enquanto o indivíduo é a máquina: se o programa não for bom ou não rodar direito, a máquina ficará subutilizada e talvez nem funcione. Da mesma forma, alguém pode ser extremamente inteligente, ter memória e saúde física excelentes, mas se as crenças, as programações mentais aprendidas ao longo da vida, não forem positivas, vão fazer a pessoa sofrer, causando danos a si mesma e ao ambiente em que se encontra.

As crenças são aprendidas ao longo de toda a vida, mas sobretudo na infância. As crenças incutidas em um indivíduo quando criança podem ser boas e fortalecedoras, mas também podem ser limitantes e destrutivas, fazendo dele alguém feliz ou infeliz, próspero ou fracassado, saudável ou debilitado. Ou seja, as crenças internalizadas durante a infância são determinantes para a vida de uma pessoa, pelo menos enquanto ela não optar por outras mais fortalecedoras.

Em trabalho publicado em 2019, pesquisadores da área da Psicologia dialogam com Morris Rosenberg em relação ao conceito de autoestima. Para os autores, autoestima é um "conjunto de sentimentos e pensamentos do indivíduo em relação ao seu próprio valor, competência, confiança, adequação e capacidade para enfrentar desafios, que repercute em uma atitude positiva ou negativa em relação a si mesmo". Para eles, autoestima também é um "importante fator que influencia a forma de a pessoa perceber, sentir e responder ao mundo".[12] Por isso, quanto mais crenças positivas forem formadas na infância, mais autoestima a pessoa terá durante toda a vida, o que a possibilitará viver de modo mais pleno e integral.

Todavia, independentemente de como tenha sido nossa educação, quando nos tornamos adultos, adquirimos autorresponsabilidade e temos a oportunidade de mudar as coisas. Ou seja, como mencionado no capítulo anterior, podemos ressignificar experiências e memórias, transformando crenças limitantes em crenças fortalecedoras, impactando de maneira muito precisa quem mais amamos: nossos filhos. Porque, quando mudamos, tudo muda ao nosso redor.

Estudos neurocientíficos já comprovaram que o cérebro humano tem a capacidade de se transformar ao longo da vida, por meio de novos estímulos, em razão do que hoje se conhece por "plasticidade neural".

---

12 PAIXÃO, R. F.; PATIAS, N. D.; DELL' AGLIO, D. D. Autoestima e sintomas de transtornos mentais na adolescência: variáveis associadas. **Psicologia: Teoria e Pesquisa**, v. 34, 2018. Disponível em: http://dx.doi.org/10.1590/0102.3772e34436. Acesso em: 11 dez. 2020.

Segundo Elenice Ferrari, pesquisadora da Universidade Estadual de Campinas (Unicamp), a plasticidade neural consiste em alterações funcionais e morfológicas que podem ocorrer no Sistema Nervoso por meio, por exemplo, de sua interação com o ambiente, o que resulta na organização de comportamentos que modificam tanto o ambiente quanto o Sistema Nervoso em si. De acordo com a pesquisadora, o fenômeno da plasticidade neural pode ser definido como uma mudança na estrutura e nas funções do Sistema Nervoso, com ele se mostrando muito mais "plástico" do que anteriormente se acreditava.[13]

Em outras palavras, qualquer pessoa pode mudar qualquer aspecto de sua vida! Só precisa dar o estímulo certo, na intensidade certa, pelo tempo certo. Isso significa que não precisamos viver com a famosa Síndrome de Gabriela: "Eu nasci assim, eu cresci assim, vou ser sempre assim, Gabriela". Pelo contrário, temos a capacidade de aprender novos comportamentos.

Plasticidade neural é sinônimo de esperança e liberdade. É como dizer: "Minha vida tem jeito e posso ser um pai ou uma mãe ainda melhor e mais feliz hoje".

QUATRO CONDUTAS ESSENCIAIS PARA TER BOA AUTOESTIMA

1. CONSCIÊNCIA

Para reconquistar a autoestima, é necessário percorrer um caminho. E o primeiro passo é a consciência. Afinal, quando nos permitimos olhar para o nosso eu mais profundo, com verdade e humildade, trazemos luz e consciência a quem de fato temos sido e a quem realmente queremos ser.

A prática da consciência requer um exercício de presença e de inteireza no aqui e agora. Me faz ajustar o foco para o único tempo em que posso, de fato, agir, que é o presente. Desse modo, me conecto com o passado por meio de lembranças; com o futuro, por meio da visão; e com o presente, por meio da ação.

---

[13] FERRARI, E. A. de M.; TOYODA, M. S. S.; FALEIROS, L.; CERUTTI, S. M.. Plasticidade neural: relações com o comportamento e abordagens experimentais. **Psicologia: Teoria e Pesquisa**, maio-ago, v. 17, n. 2, p. 187-194, 2001. Disponível em: https://www.scielo.br/pdf/ptp/v17n2/7879.pdf. Acesso em: 30 nov. 2020.

Portanto, a consciência é a principal característica humana. É a percepção ou o entendimento que permite ao ser humano compreender tanto os aspectos de seu mundo interior como o do mundo que o cerca. É perceber os "porquês", entender o significado de causa e efeito e ainda se colocar na linha do tempo, percebendo de que forma o passado se conecta com o presente e o futuro.

EXERCÍCIOS

1. Fique de pé diante de um espelho e olhe profundamente para dentro de si. Esqueça o mundo exterior e reflita sobre como está sua vida. Perceba como estão seus sentimentos, fazendo as perguntas a seguir.
   - Como está minha vida?
   - Como estão meus sentimentos hoje?
   - Sinto-me feliz?
   - Quais são meus pontos fortes?
   - Quais são meus pontos fracos?
   - O que preciso mudar em mim para ser mais feliz?
   - O que não tem dado certo na minha vida?
   - Acredito que vou alcançar meus objetivos mais audaciosos?
   - Quem sou eu?

2. Em seguida, pegue caneta e papel e use o espaço abaixo para responder aos questionamentos. Não racionalize nem pense. Apenas permita-se escrever à vontade o que lhe vier à mente.

3. A seguir, observe a árvore da baixa autoestima e a da autoestima.

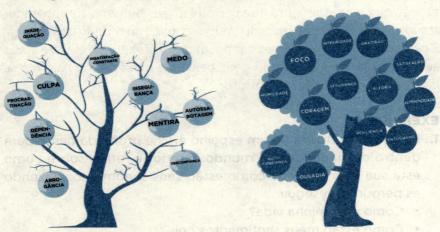

Fonte: Febracis.

Pelos seus frutos os conhecereis.
MATEUS 7:20

Metaforicamente, vamos analisar nossa vida como se fôssemos uma árvore. O que faz uma árvore dar excelentes frutos? Você certamente responderia: "O tipo de terra em que está plantada, a quantidade de água recebida, o adubo, a luz do sol". E aí eu lhe pergunto: "Como você tem cuidado do ambiente emocional de sua casa? Qual terra, água, luz tem permitido entrar em sua casa e influenciar seus filhos?".

a. Você tem colhido mais frutos da árvore da baixa autoestima ou da autoestima?
___
___
___
___

b. De que forma sua autoestima tem refletido na relação que você tem hoje com seus filhos?
___
___
___
___

c. Que características você identifica em seu filho que podem ter origem em você?

_____
_____
_____
_____

d. Você sente que poderia fazer algo diferente pela própria autoestima para influenciar positivamente seus filhos?

_____
_____
_____

e. Quais decisões você toma?

_____
_____
_____

2. ACEITAÇÃO E VULNERABILIDADE

Além de ser capaz de olhar para si com verdade, para resgatar a autoestima é preciso exercitar a aceitação. Aceitar a si próprio e ao outro como ele é. E, a partir disso, estabelecer um vínculo verdadeiro e sincero.

A consciência da vulnerabilidade é necessária para que o indivíduo possa se apresentar tal como é, sem temer ser rejeitado, abandonado ou criticado pelo outro. A aceitação da vulnerabilidade é uma alavanca para o sucesso em todas as áreas da vida, incluindo a educação dos filhos. Tentar esconder um caráter falho ou comportamentos ruins é viver uma mentira. A humildade é a virtude que permite o reconhecimento das próprias falhas, dos vícios e dos comportamentos nocivos e a tomada de decisão de dedicar tempo para mudar o que precisa ser mudado. Não estamos falando aqui de perfeição, mas de decidir ser um eterno aprendiz.

A não aceitação leva o indivíduo a agir com arrogância, prepotência e vaidade. É como se a pessoa se revestisse de armaduras, para esconder suas fragilidades e demonstrar aos outros uma imagem de perfeição que não é real. Assim, muitos se distanciam da própria essência e perdem de vista quem realmente são.

O problema é que, em geral, não fomos educados para assumir nossos erros e aprender com eles, mas para encobri-los. Se, como adultos, não aprendemos a lidar com nossos erros, como vamos ensinar nossos filhos a fazê-lo? Se não temos coragem de nos relacionar com os outros sendo verdadeiros, como cobrar isso de nossos filhos?

Trazemos resquícios de fraturas emocionais geradas na infância. Como costumo dizer no Método CIS, o maior treinamento de inteligência emocional da América Latina, "criança faz criancice", ou seja, crianças naturalmente cometem erros. Porém, esses erros, muitas vezes, não são acolhidos como aprendizado, mas reprimidos por meio de críticas e acusações.

Imaginemos, por exemplo, uma criança que, com a maior boa vontade, pega uma bandeja e vai, entusiasmada, servir água às visitas que acabaram de chegar em casa. No percurso, porém, tropeça em algum objeto, desequilibra-se e cai, deixando cair o copo com água no chão! Furioso, o pai vai ao encontro dela e diz: "Criança burra, faz tudo errado! Será possível? Como você só sabe fazer besteira? Ah, meu Deus, dai-me paciência!". Depois disso, o que acontece? A criança tende a se fechar para aprender, para tentar e para ousar. Passa a vida fugindo da crítica e da rejeição.

Se, por outro lado, esse pai tivesse ido lá, abaixado-se com a criança, conectado-se a ela pelo olhar e dito: "Tudo bem, filho, acontece. Vamos organizar as coisas aqui e encher outro copo com água para você entregar", qual teria sido a compreensão dessa criança? "Sou capaz. Se não conseguir da primeira vez, posso tentar de novo. Posso me mostrar ao meu pai como sou porque ele vai me apoiar". Assim, a criança cresce sentindo-se valorosa, capaz e merecedora, com mais segurança para agir e para ser, verdadeiramente, quem é.

Desse modo, a aceitação e a vulnerabilidade são premissas para a aquisição de uma boa autoestima. Quando os pais entendem isso, tornam-se melhores para si mesmos e para seus filhos.

PAULO VIEIRA

3. AUTORRESPONSABILIDADE

Quando os acontecimentos não geram os resultados esperados, quando a vida não está como se gostaria que estivesse, há duas opções: a primeira é achar um culpado e, de uma forma ou de outra, eximir-se da autorresponsabilidade, jogando nos outros e/ou nas circunstâncias a responsabilidade pelo que acontece na própria vida. A outra é assumir a responsabilidade pelos resultados, aprender com eles e mudar.

A incapacidade de viver de modo autorresponsável nos faz reviver as mesmas circunstâncias de dor ao longo da vida. Assim, a grande chave para a aquisição da autoestima é assumir uma atitude autorresponsável diante da vida e dos resultados.

Esse conceito determina que a pessoa é a única responsável pela vida que tem levado, ou seja, é totalmente responsável pelos próprios resultados e por suas ações (conscientes ou inconscientes), pela qualidade de seus pensamentos, por seus comportamentos e por suas palavras. Por mais doloroso que seja, devo afirmar que cada um tem a vida que merece. Embora a ideia de ser responsável pela própria vida possa parecer um peso, é, na realidade, algo libertador, porque, se você é o responsável pelos resultados que tem obtido, é igualmente você que tem o poder de mudá-los.

A autorresponsabilidade o capacita e o empodera a mudar o que deve ser mudado para continuar a avançar na direção de seus objetivos conscientes e de um equilíbrio de vida. Liberta-nos das acusações que fazemos aos outros ou a nós mesmos. Pessoas autorresponsáveis não gastam energia desnecessária sentindo raiva e sofrendo por coisas ou situações as quais não têm poder de mudar.

Enquanto essas atitudes paralisam e desgastam nossa identidade e a de quem está ao nosso redor, a autorresponsabilidade nos conduz a agir para atingir os resultados desejados.

A autorresponsabilidade baseia-se em seis leis principais:

1. Se é para criticar, cale-se.
2. Se é para reclamar, dê sugestão.
3. Sé é para buscar culpados, busque solução.
4. Se é para se fazer de vítima, faça-se de vencedor.
5. Se é para justificar seus erros, aprenda com eles.
6. Se é para julgar as pessoas, julgue apenas suas atitudes e seus comportamentos.

Assumir uma posição autorresponsável diante da própria vida é um passo fundamental para trilhar um caminho de sucesso em todas as instâncias da sua vida. Inclusive no relacionamento com sua família e seus filhos.

Tanto este quanto aqueles que vêm antes e depois conhecemos e compreendemos de maneira profunda durante o Método CIS.

4. POSICIONAMENTO

Outro ponto muito importante para desenvolver a autoestima é aprender a se posicionar. Isso significa ter coragem para falar e agir de acordo com as próprias convicções e os próprios valores.

Assumir esse estado de coerência não significa ser inflexível ou fechado às opiniões alheias, mas estar certo de quais são suas convicções pessoais. Isso não quer dizer que tenha que dizê-las em qualquer situação. Essa necessidade vai variar sempre de acordo com o contexto. Talvez, em alguns momentos, o melhor posicionamento que eu possa assumir seja o silêncio. Outras vezes, posso entender que não seria interessante rir de uma piada que vai ao encontro de princípios e valores nos quais acredito.

Posicionamento é, ainda, ocupar seu lugar como profissional, marido (esposa), parente, pai (mãe), entre outros. Quantas lacunas temos deixado em nossa vida ou na vida de quem amamos por medo de nos posicionar? Quais são os riscos para uma criança quando os pais se omitem de educá-la, seja elogiando-a, validando-a, compartilhando a vida com ela, abraçando-a ou mesmo colocando limites? Em cada relação, é preciso estar consciente de que há um papel que é só nosso e que cabe a nós assumi-lo. Ninguém pode viver esse papel por nós, nem devemos querer pegar para nós uma responsabilidade que não nos pertence. Posicionar-se é, portanto, saber qual é seu lugar naquele ambiente e naquela relação e decidir-se por ocupá-lo.

A questão é que existem coisas inegociáveis, das quais você não precisa nem deve abrir mão para atender a uma necessidade pelo simples desejo de pertencer. Aprender a se posicionar é não viver para atender às expectativas dos outros, mas agir com base em seus princípios.

Hoje, muitos encontram dificuldade para se posicionar porque não tiveram a oportunidade de se expressar durante a infância. É muito comum ouvirmos pais dizendo: "Fica quieto que você não sabe de nada, não!", "Manda quem pode e obedece quem tem juízo!" ou "Em boca fechada não entra mosca". As consequências desse tipo de comunicação são muito danosas na vida futura de uma criança, uma vez que pode comprometer sua capacidade de se posicionar, ousar, dizer o que pensa e fazer escolhas – habilidades e competências imprescindíveis para que os filhos cresçam fortes e felizes emocionalmente.

Assumimos o pressuposto de que os pais amam os filhos. Porém, por um equívoco, alguns pais entenderam que ter o respeito dos filhos significa anular o direito de eles se expressarem. Como vimos no Capítulo 1, sobre as memórias, para dar limites é preciso se posicionar como pai ou mãe, mas dando aos filhos o direito de dizer o que pensam e como se sentem. O filho que se expressa entende que pertence, que é importante, que é amado e respeitado.

EXERCÍCIOS

1. Com base na leitura deste capítulo, atribua uma nota de 0 a 10 para cada um dos itens a seguir:

   a. Você tem ocupado o lugar que lhe pertence de filho(a)?

   1　2　3　4　5　6　7　8　9　10

   b. Tem ocupado o lugar que lhe pertence de pai ou mãe?

   1　2　3　4　5　6　7　8　9　10

   c. Tem ocupado o lugar que lhe pertence como marido(esposa)?

   1　2　3　4　5　6　7　8　9　10

   d. Quanto você, como pai, mãe ou responsável, tem permitido que seu filho expresse o que pensa?

   1　2　3　4　5　6　7　8　9　10

   e. Você tem ouvido com amor, respeito e paciência o que seu filho tem a dizer?

   1　2　3　4　5　6　7　8　9　10

2. Escreva nas linhas a seguir as reflexões e as decisões que você toma sobre este tópico.

   _____

   _____

Apenas seja quem você quer ser, não o que os outros querem ver.

R. J. PALACIO

A AUTOESTIMA NA FAMÍLIA

Como vimos, a autoestima tem origem na infância e é construída com base nas relações que tivemos desde os primeiros anos de vida com os adultos de referência durante nossa formação. Ela molda nosso sistema de crenças, que, por sua vez, terá grande influência em quem seremos, nas relações que teremos e no que conquistaremos ao longo da vida. Porém, independentemente de como tenha sido seu passado, a reprogramação de crenças é possível. Porque, como vimos, por meio da plasticidade neural, novos comportamentos são aprendidos e o desenvolvimento humano torna-se um ato contínuo.

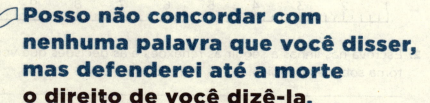

Posso não concordar com nenhuma palavra que você disser, mas defenderei até a morte o direito de você dizê-la.

EVELYN BEATRICE HALL

Observei inúmeras pessoas que tiveram relacionamentos destrutivos na infância e viveram uma vida tendo resultados ruins decorrentes de experiências negativas do passado sendo capazes de mudar radicalmente o rumo de sua vida, após terem vivenciado uma completa reprogramação de crenças no meu treinamento do Método CIS, hoje o maior da América Latina.

PAULO VIEIRA

Para você perceber o reflexo da realidade familiar na construção da autoestima dos filhos, leia os dois casos a seguir.

CASO 1

Estava próximo à Páscoa, as crianças estavam animadas com tantas propagandas de ovos e o cheiro de chocolate pairava no ar. A aula estava para começar, o som do toque inicial ainda se ouvia e Daniela chegou à porta da sala acompanhada da mãe, o que foi uma grande surpresa para a turma, porque era a primeira vez que viam sua mãe.

Estava linda, cabelos negros lisos, bem arrumados, com uma fita e um laço vermelho. No rosto uma expressão confiante de que aquele dia seria bom, muito embora no dia a dia se apresentasse de maneira tímida, quase como se não quisesse ser percebida, colocando-se sempre nos últimos lugares.

Recebeu um beijo da mãe, e essa era uma cena rara, já que os pais ficavam pouco com ela em razão dos compromissos. Entrou na sala com duas malas, uma com o material escolar e a outra, maior, com uma surpresa que deixou a sala curiosa e inquieta.

Daniela dirigiu-se à professora e com voz tímida disse: "Trouxe um presente a todos os meus amigos da sala. Quando faltar cinco minutos para o recreio, a senhora me deixa distribuí-los?". A professora concordou, pois tinha ciência de que aquela aluna, em especial, tinha dificuldade em fazer amigos e sabia do seu esforço em fazê-los.

A notícia espalhou-se rapidamente pela sala, e os alunos ficaram mais que curiosos para saber o que havia dentro da mala. A menina, por alguns instantes, tornou-se o centro das atenções; a felicidade com a proximidade dos colegas estava estampada em seu rosto.

Enfim, chegou o grande momento: a menina abriu a mala e eis que dentro dela havia vários ovos de chocolate de tamanho médio, um para cada criança. Essa foi a maneira que ela e a mãe encontraram para diminuir a distância entre Daniela e a conquista de novos amigos.

Foi uma loucura! Os alunos avançaram na mala e, num passe de mágica, sumiram os ovos de chocolate, assim como as crianças da sala, restando apenas uma mala vazia e uma menina assustada.

O que pode estar por trás de uma criança insegura que mendiga o amor dos colegas? O que faz uma criança perder a espontaneidade natural de fazer amigos? Assim como Daniela, muitas outras crianças estão sofrendo por não se sentirem amadas, importantes e pertencentes ao seio familiar. Pais e responsáveis devem atuar como instrumentos de geração e fortalecimento da autoestima, para que a criança possa se sentir adequada para a vida e capaz de superar os desafios.

CASO 2

Maria, nome forte, assim como a Maria desta história. Franzina, olhar atento, cabelos lisos caindo sobre os olhos, inteligente, alegre, de bem com a vida. Ela e a família moravam em um sítio próximo da cidade, diferentemente de todos os colegas da escola. Mas Maria amava viver lá! Gostava de subir em árvores, empinar pipa e ajudar os pais a cuidar das plantas, porque faziam questão de ter uma horta.

Maria tinha estilo próprio: não se via na obrigação de ser como os outros para se sentir parte da turma. Era muito segura de si e de seus pontos de vista, apesar de ter apenas uma década. Os pais eram presentes, e isso garantia segurança e encorajamento à menina. Na casa de Maria, não faltavam afeto, carinho, atenção, cuidado e correção.

Na escola, Maria nunca estava sozinha, havia sempre um grupinho ao seu redor. Sem contar que era líder nata junto aos amigos. Fosse no futebol, no polícia e ladrão, no parquinho, Maria estava sempre entusiasmada, conversando, ajudando, sendo criança.

Um dia, na hora do lanche, Maria estava sentado com os amigos, e um deles perguntou:

– Por que você sempre traz fruta ou algo mais natureba para o lanche?

– Não é natureba, é natural. Gosto de frutas! Lá em casa, sentamos todos juntos para comer. Minha mãe fica descascando as laranjas, e, quando a gente faz salada de frutas, é uma festa! Aprendi com meus pais que meu corpo precisa ser amado todos os dias. E uma forma de mostrar isso a ele é me alimentando bem. Além do mais, esta banana está uma delícia!

78 EDUCAR, AMAR E DAR LIMITES

Como vimos neste caso, quando a criança tem pais que têm autoestima e são seguros de si, e, sobretudo, quando possuem experiências de pertencimento na família, há mais possibilidade de criar crenças fortalecedoras de identidade, capacidade e merecimento e ir para o mundo com a convicção de ser amada, pertencente e importante.

EXERCÍCIOS

1. Qual dos dois casos mais se aproxima de sua realidade familiar atual?

2. Você está satisfeito com sua realidade familiar atual ou acha que pode fazer algo para que ela melhore?

3. Diante das reflexões feitas com a leitura dos dois casos, que decisões você toma a partir de agora?

CONTEÚDO COMPLEMENTAR

- Vídeo *Como formar crenças vai influenciar sua vida?* Disponível em: https://www.youtube.com/watch?v=7r4qTDkJRwI. Acesso em: 15 nov. 2020.

Aponte a câmera do celular para o QR CODE ao lado para assistir ao vídeo.

AÇÕES E DECISÕES:

CAPÍTULO

3

EMOÇÕES:
O caminho para uma vida plena

"Você precisa saber que suas atitudes interferem diretamente em quem seu filho é e no que ele faz."

PAULO VIEIRA

Você já parou para pensar como gostaria que seu filho fosse daqui a dez, quinze ou vinte anos? Que características gostaria que estivessem presentes nele? E o que tem feito hoje como pai, mãe ou responsável para que ele tenha esses atributos no futuro?

Percebemos muitos pais preocupados que os filhos se desenvolvam intelectualmente, tirem boas notas e conquistem seu espaço no quadro de honra da escola. Afinal, pais amam os filhos e desejam vê-los bem-sucedidos, autônomos e felizes. Porém, para ter sucesso, é necessário mais do que isso.

É comum a crença de que profundo conhecimento técnico ou teórico seja suficiente para determinar se alguém será bem-sucedido e realizado profissional e pessoalmente. O fato é que, embora o conhecimento seja um elemento fundamental, não é o bastante sozinho.

Para ser capaz de vencer os desafios que surgem ao longo da vida, é fundamental aprender a ser ousado, perseverante, resiliente, flexível, entre outras competências comportamentais e habilidades de inteligência emocional.

Mas o que é inteligência emocional? É o equilíbrio entre os lados racional e emocional do cérebro. Na instituição de coaching Febracis, entendemos a inteligência emocional como a capacidade de se relacionar bem consigo mesmo e extrair o melhor de si, assim como de se relacionar bem com os outros e extrair o melhor dessa relação.

Como vimos no Capítulo 1, a família é, por excelência, o lugar em que a criança adquire experiências fundamentais para seu desenvolvimento físico e mental.

Segundo Daniel Goleman[14], existem competências emocionais pessoais e sociais que, quando desenvolvidas, contribuem para que tenhamos o equilíbrio das emoções. Metaforicamente, podemos dizer que as crianças são como "esponjas", isto é, costumam aprender com muita facilidade o conteúdo ao qual são expostas. Sendo assim, quanto mais cedo forem nutridas com histórias, músicas, brincadeiras e oportunidades que estimulem competências socioemocionais como cooperação, ousadia, criatividade, iniciativa, entre outras, mais forte emocionalmente essas crianças serão. Portanto, a qualidade da interação familiar que se estabelece sobretudo durante os primeiros anos de vida da criança possui grande impacto em quem ela é em quem poderá se tornar.

Desse modo, suprir as necessidades materiais, físicas e cognitivas dos nossos filhos não será garantia de que vão desfrutar de um futuro próspero e abundante. É preciso assegurar-lhes, antes de tudo, força emocional para que estejam preparados para viver e conviver no mundo que está por vir. Neste capítulo, você encontrará pistas para fazer da família um ambiente propício para o desenvolvimento emocional positivo dos filhos.

O QUE SÃO AS EMOÇÕES?

A palavra "emoção", do latim *ex movere*, significa "mover para fora". São as emoções que motivam o indivíduo a colocar em prática ações, reações e decisões, e estão presentes em todos os aspectos da humanidade. São parte fundamental da vida e do comportamento humano e servem, basicamente, para proteger o indivíduo, manter a sobrevivência da espécie e gerar a comunicação social. No Método CIS, entendemos que, aliadas às informações certas, emoções positivas representam mudanças, progressos e uma vida extraordinária.

Nosso dia a dia em família é permeado por inúmeras emoções. Por exemplo, ao quebrar um copo na hora do almoço, a criança vai, possivelmente, sentir medo, vergonha, raiva ou até tristeza. O modo como reagimos a essas situações promoverá um aprendizado emocional para a criança.

As manifestações de nossas emoções acompanham alterações fisiológicas, como aumento dos batimentos cardíacos, sudorese,

---

[14] Jornalista e psicólogo estadunidense especializado em inteligência emocional, Daniel Goleman é escritor best-seller.

mudanças na respiração, dificuldade na digestão, entre outras. Além disso, estão associadas a mudanças na comunicação não verbal, que envolvem maneirismos gestuais, posturais, entonação vocal e expressões faciais. Essas modificações visíveis são responsáveis pelo caráter altamente contagiante e mobilizador do ser humano.

Aqui, vamos dar exemplos de seis tipos de emoções – alegria, surpresa, tristeza, medo, nojo e raiva – e faremos um resumo de cada uma delas.

- A **alegria** está relacionada ao sentimento de prazer e felicidade. É ativada quando nos sentimos recompensados por uma ação ou quando nos libertamos de um sentimento de mal-estar. É um dos sistemas do corpo para incentivar a ação.
- A **surpresa** não é positiva nem negativa, mas neutra. É uma das emoções mais rápidas do corpo e se une a outra, de acordo com o contexto. Permite ao indivíduo agir de modo rápido, conforme a situação.
- A **tristeza** nos permite pensar sobre os acontecimentos, refletindo sobre nossas emoções, nossos pensamentos e comportamentos. No entanto, ela também pode oprimir e, em doses elevadas, tornar-se paralisante, direcionar os pensamentos para coisas negativas ou gerar culpa.
- O **medo** fornece proteção à vida e nos deixa em estado de alerta para que sejamos capazes de preservar nossa integridade no ambiente em que estamos. Mas, em excesso, pode nos paralisar e nos impedir de agir, podendo nos levar a sentimentos de culpa e tristeza.
- O **nojo** nos protege de sermos contaminados. Por meio da visão e do olfato, selecionamos determinados alimentos ou ambientes. Sem ele, ficamos vulneráveis a microrganismos como bactérias e vírus. Também o usamos para nos diferenciar como pessoas – sentimos nojo ou repulsa por determinados comportamentos ou hábitos.
- A **raiva** surge em uma situação de indignação. Sem ela, nos tornamos passíveis, vítimas dos outros, não defendemos nossa individualidade, ficando desprotegidos e com nossa identidade prejudicada. Ela nos dá impulso para a mudança e para não aceitarmos situações que ferem nossos direitos. Mas, em excesso, gera descontrole, problemas sociais e familiares.

O corpo sinaliza a existência das emoções. Quando ficamos com raiva, por exemplo, nossa face fica ruborizada; já diante do medo, podemos apresentar sudorese excessiva e taquicardia; diante da tristeza, por sua vez, podemos sentir "aperto no peito", "nó na garganta"; e diante da alegria tendemos a experimentar "borboletas no estômago".

As manifestações das emoções **são fisiológicas**, e sua origem, uma só: o **cérebro**. É ele o responsável por gerenciar diretamente pensamentos e emoções, liberando o comando bioquímico de cada emoção.

Ramon Moreira Cosenza, médico e autor do livro *Neurociência e educação* (Artmed, 2011), aponta que:

> Os órgãos dos sentidos enviam as informações relevantes até o cérebro por meio de circuitos neuronais. Se um estímulo importante, com valor emocional, é captado, ele pode mobilizar a atenção e atingir as regiões corticais específicas, onde é percebido e identificado, tornando-se consciente. As informações são então direcionadas a uma região de substância cinzenta subcortical do lobo temporal, a amígdala cerebral (ou núcleo amigdaloide), cuja forma lembra uma amêndoa. A amígdala costuma ser incluída em um conjunto de estruturas encefálicas conhecido como sistema límbico, ao qual se atribui o controle das emoções e dos processos motivacionais.[15]

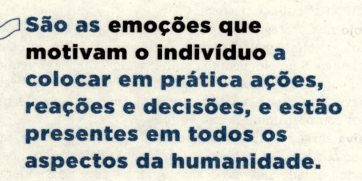

São as emoções que motivam o indivíduo a colocar em prática ações, reações e decisões, e estão presentes em todos os aspectos da humanidade.

---

[15] COSENZA, R. M.; GUERRA, L.B. **Neurociência e educação:** como o cérebro aprende. Porto Alegre: Artmed, 2011. p. 76-77.

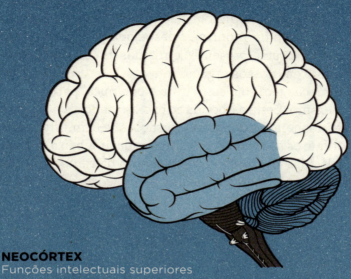

- **NEOCÓRTEX**
  Funções intelectuais superiores
- **SISTEMA LÍMBICO**
  Emoções
- **TRONCO ENCEFÁLICO**
  Sobrevivência

- **TRONCO ENCEFÁLICO:** responsável por ações involuntárias, ou seja, aquelas relacionadas às funções básicas de sobrevivência, como batimentos cardíacos, respiração, pressão arterial, transpiração, reflexos sensoriais e movimentos básicos.

- **SISTEMA LÍMBICO:** segundo nível funcional do sistema nervoso, está presente em todos os mamíferos. Além de acoplar os componentes do cérebro reptiliano, é responsável por todos os sentimentos e emoções, como raiva, medo e felicidade.

- **NEOCÓRTEX:** responsável pelo processo cognitivo complexo. Essa região do cérebro envolve o raciocínio e o pensamento, ou seja, as decisões racionais. Pode ser dividido, metaforicamente, entre hemisférios direito e esquerdo, com funções distintas.

A cada mudança de humor, uma cascata de substâncias bioquímicas, chamada por neurologistas de "moléculas de emoção" (neurotransmissores e hormônios), é despejada pelo corpo, afetando os receptores, que estão presentes em todas as células. Ou seja, tudo isso interfere em nossos órgãos.

Cada emoção tem sua "assinatura bioquímica" particular. A hostilidade, por exemplo, está associada ao excesso de cortisol; o afeto, à ocitocina; a felicidade, à dopamina; as sensações de bem-estar, à serotonina e à endorfina; os sentimentos de inferioridade, à baixa testosterona.

As moléculas de emoção podem ser um bálsamo ou um veneno à nossa saúde, conforme a qualidade e a frequência de nossas emoções. Os hormônios são ativados de acordo com a comunicação de cada indivíduo e com a prática de atividades saudáveis à vida, como alimentação balanceada, exercícios físicos e respiração consciente.

O PAPEL DAS INTERAÇÕES SOCIAIS NOS PRIMEIROS ANOS DE VIDA

Os primeiros anos de vida são essenciais ao fortalecimento emocional, mesmo que as aptidões continuem se desenvolvendo após esse período, sobretudo até a puberdade.

Estudos como os apresentados no livro de Sue Gerhardt[16] revelam que a presença de neurônios-espelho[17] no cérebro permite que estejamos conectados a outras pessoas desde o início da vida, percebendo seus comportamentos ou sentindo suas emoções.

De fato, nos primeiros meses de vida, o bebê já é capaz de perceber detalhes nas expressões faciais e na linguagem corporal daqueles com os quais convive e começa a imitar seus movimentos faciais.

Outra pesquisa, apresentada no TEDxAtlanta pela médica estadunidense dra. Brenda Fitzgerald, demonstrou a importância da interação dos pais com o bebê, sobretudo pelo uso da linguagem.[18]

---

[16] GERHARDT, S.; IDE, M. R. **Por que o amor é importante**: como o afeto molda o cérebro do bebê. Porto Alegre: Artmed, 2016.

[17] De acordo com Sue Gerhardt, os neurônios-espelho são, possivelmente, responsáveis pela percepção e reprodução dos comportamentos humanos, sendo também importantes para a captação das ações e das intenções que as motivaram.

[18] IMPROVING early child development with words: Dr. Brenda Fitzgerald at TEDxAtlanta. 2014. Vídeo (21min56s). Publicado pelo canal TEDx Talks. Disponível em: https://www.youtube.com/watch?v=y8qc8Aa3weE. Acesso em: 15 dez. 2020.

Um dos estudos apresentados foi o experimento "Rosto imóvel", pesquisa realizada pelo Centro de Desenvolvimento Infantil de Harvard. Durante o experimento, foi pedido a várias mães que ficassem de frente para seu bebê e, em seguida, virassem o rosto para trás, voltando depois o olhar para o filho, sem demonstrar mais nenhuma reação.

No início da experiência, os bebês reagiram, tentando chamar a atenção da mãe ao apontar para objetos, sorrir e emitir sons. Após muitas tentativas infrutíferas, passaram a chorar copiosamente.

Esse é um dos experimentos que comprovam a importância do afeto nos primeiros anos de vida.

A afetividade, portanto, não se desenvolve apenas com beijo, abraço e suprimento das necessidades físicas, mas também com a disposição da família em interagir com a criança, cantando, olhando nos olhos, conversando e permitindo que ela cresça com o carinho, os estímulos e o cuidado de que necessita.

A necessidade de interação do bebê é tão evidente que, conforme afirma Daniel Goleman no livro *Inteligência emocional* (Objetiva, 1996), a negligência pode ser ainda mais prejudicial à criança que os maus-tratos diretos.

Portanto, os seis primeiros anos de vida são muito importantes para o desenvolvimento da criança, tendo em vista que ela ainda não possui os filtros da cognição, sendo, assim, puramente emocional.

As vivências de amor ou rejeição, carinho ou violência, atenção ou indiferença, confiança ou desconfiança, alegria ou tristeza, apoio ou abandono que a criança experimentou nesses primeiros anos terão forte influência em seu desenvolvimento emocional.

Veja, a seguir, os efeitos de experiências negativas e positivas no cérebro.

EXPERIÊNCIAS NEGATIVAS

Experiências negativas caracterizadas por gritos, agressões físicas e ameaças promovem, por exemplo, aumento da pressão arterial, elevação do nível de açúcar no sangue para produção de energia muscular, pausa nas funções anabólicas do corpo, aceleração cardíaca, aumento do fluxo sanguíneo para braços e pernas para posição de fuga, dilatação da pupila, elevação da frequência respiratória.

Crianças que vivenciam experiências negativas repetidamente, ou sob forte impacto emocional, são propensas a apresentar:

- Atraso no desenvolvimento.
- Perda de memória.
- Baixa autoestima.

Além disso, tendem a ter dificuldade de formar vínculos saudáveis com outras pessoas, podendo ser excessivamente dependentes ou socialmente isoladas.

EXPERIÊNCIAS POSITIVAS

Experiências positivas de abraço, olho no olho, elogios, diálogo, brincadeiras geram estabilização da pressão arterial, calma, melhora da concentração, do aprendizado, da memorização, do apetite, do sono, do humor e bloqueio da ação do cortisol, hormônio associado ao estresse.

A seguir, compartilhamos um quadro comparativo em que se percebem os resultados proporcionados por um ambiente de afeto e por outro de estresse.

AMBIENTE DE AFETO	AMBIENTE DE ESTRESSE
Aprendizagem	Bloqueio
Coragem	Medo
Segurança	Insegurança
Paz	Inquietação
Criatividade	Ansiedade

Por isso, crianças que têm suas necessidades físicas e emocionais atendidas pelos pais, na maioria das vezes, tendem a se tornar adultos mais seguros, autoconfiantes, com crenças positivas de identidade, capacidade e merecimento.

OÁSIS

Conta uma lenda popular do Oriente que um jovem chegou à beira de um oásis próximo a um povoado e, aproximando-se de um velho, perguntou-lhe:

– Que tipo de pessoa vive neste lugar?

– Que tipo de pessoa vive no lugar de onde você vem? – perguntou, por sua vez, o ancião.

– Oh, um grupo de egoístas e malvados – replicou o rapaz. – Estou satisfeito de ter saído de lá.

– A mesma coisa você haverá de encontrar por aqui – replicou o velho.

No mesmo dia, outro jovem acercou-se do oásis para beber água e vendo o ancião perguntou-lhe:

– Que tipo de pessoa vive aqui?

O velho respondeu com a mesma pergunta:

– Que tipo de pessoa vive no lugar de onde você vem?

O rapaz respondeu:

– Um magnífico grupo de pessoas, amigas, honestas, hospitaleiras. Fiquei muito triste por ter de deixá-las.

– O mesmo encontrará por aqui – respondeu o ancião.

Um homem que escutara as duas conversas perguntou ao velho:

– Como é possível dar respostas tão diferentes à mesma pergunta?

Ao que o velho respondeu:

– Cada um carrega no coração suas vivências e seus aprendizados, tudo o que viu, ouviu e sentiu durante a vida. Aquele que nada encontrou de bom nos lugares por onde passou certamente aprendeu a ver a vida dessa forma, com apatia e desdém, e, por consequência, terá dificuldade em encontrar outra coisa por onde for. Já aquele que encontrou amigos ali, também os encontrará aqui, porque, na verdade, aprendeu a viver assim, usando de bons valores e hábitos para ver o mundo e as pessoas.

Portanto, decida ser mais gentil com as palavras, use da paciência consigo mesmo e com os outros, aprenda com os erros e cuide muito bem de sua família, que é o primeiro lugar onde se aprende o que carregar no coração.

EXERCÍCIOS

1. Observe os comportamentos a seguir e dê uma nota de 0 a 10, de acordo com a frequência de cada um deles na sua relação com seu filho nos últimos dez dias.

   Marque 0 se você não teve esse comportamento e 10 se você o repetiu todos os dias. Se tiver mais de um filho, preencha a ferramenta mais de uma vez, um para cada um deles.

   a. Abracei meu(minha) filho(a).

   1   2   3   4   5   6   7   8   9   10

   b. Olhei nos olhos do(a) meu(minha) filho(a).

   1   2   3   4   5   6   7   8   9   10

   c. Disse ao(à) meu(minha) filho(a) que o(a) amava.

   1   2   3   4   5   6   7   8   9   10

   d. Validei atitudes e características positivas do(da) meu(minha) filho(a).

   1   2   3   4   5   6   7   8   9   10

   e. Profetizei a vida do(da) meu(minha) filho(filha).

   1   2   3   4   5   6   7   8   9   10

   f. Tive quantidade e qualidade de tempo com meu(minha) filho(a).

   1   2   3   4   5   6   7   8   9   10

   g. Fiz ao menos uma refeição por dia com meu(s) filho(s) à mesa, durante a qual conversamos sobre nosso dia.

   1   2   3   4   5   6   7   8   9   10

h. Coloquei limites com afeto e firmeza.

1 2 3 4 5 6 7 8 9 10

i. Gritei com meu(minha) filho(a).

1 2 3 4 5 6 7 8 9 10

j. Reclamei das atitudes dele(a).

1 2 3 4 5 6 7 8 9 10

k. Ameacei tirar-lhe um benefício se não fizesse o que deveria.

1 2 3 4 5 6 7 8 9 10

l. Critiquei meu(minha) filho(a).

1 2 3 4 5 6 7 8 9 10

2. Com base nas respostas fornecidas, seu lar tem sido um ambiente propício para que seu filho se torne forte e saudável emocionalmente? Registre as reflexões feitas até aqui.

_____
_____
_____

3. O que você sente que precisa mudar na forma como vem ajudando seu filho a se desenvolver emocionalmente?

_____
_____
_____

4. Diante disso, quais decisões você toma?

_____
_____
_____
_____

EMOÇÕES: O CAMINHO PARA UMA VIDA PLENA 93

DOSE

A DOSE (dopamina, ocitocina, serotonina e endorfina), também conhecida como quarteto da felicidade, faz referência a um conjunto de neurotransmissores que nos garante bem-estar físico e emocional, conforme estudo da pesquisadora estadunidense Loretta Breuning.

No quadro a seguir, você vai encontrar, detalhadamente, quais são os hábitos que produzem esses hormônios, assim como os resultados que cada um deles gera no organismo.

HÁBITOS E EFEITOS EM NOSSA VIDA[19]		
NEURO-TRANSMISSOR	HÁBITOS	EFEITOS SOBRE A VIDA
Dopamina	Expressar gratidão, recordar momentos agradáveis, praticar exercícios físicos, celebrar conquistas diárias, dormir de sete a nove horas por dia, exposição solar, apreciação de músicas, prática de meditação, exercícios de visualização, aprender algo novo.	Atua no sistema nervoso central, promovendo aumento de energia e ampliando a sensação de felicidade.
Ocitocina	Dançar, abraçar, receber presentes, fazer carinho, toques corporais, meditar e praticar ações de generosidade.	Promove as contrações musculares uterinas, reduz o sangramento durante o parto, estimula a liberação do leite materno, desenvolve apego e empatia entre pessoas. Também atua gerando bons sentimentos, como confiança, respeito e segurança. Promove bem-estar físico e emocional.
Serotonina	Ingerir alimentos ricos em triptofanos (carne, peixe, ovos, leite, chocolate amargo, abacaxi), demonstrar otimismo, agradecer, lembrar-se de momentos especiais, apreciar a natureza.	Regula o humor, atua no controle do ritmo cardíaco e da temperatura corporal, melhora a qualidade do sono, facilita as tomadas de decisões.
Endorfina	Dar e receber carinho, sorrir, estar em contato com a natureza e comer chocolate.	Reduz a depressão, gera sensação de bem-estar e felicidade.

---

19 KORB, A. **The upward spiral**: using neuroscience to reverse the course of depression, one small chance a time. Oakland: New Harbinger Publications, 2015. (Adaptado.)

A CRIANÇA PRECISA BRINCAR

Além de interações sociais positivas, toda criança precisa ter oportunidade de brincar. Acredite: para as crianças, brincar é "coisa séria". A brincadeira tem o poder de ajudar os pequenos a elaborar melhor as situações vividas no dia a dia.

Daniel Goleman, um dos autores que embasa as técnicas e ferramentas ensinadas no Método CIS, no livro *Inteligência emocional* (Objetiva, 1996), afirma que, crianças expostas a situações traumáticas, que tiveram acesso a brincadeiras e à fantasia, se tornam menos afetadas pelas situações adversas que aquelas que não tiverem a oportunidade de brincar.

Dessa forma, podemos dizer que à medida que a criança reencena os acontecimentos durante o faz de conta, diminui o impacto com que as memórias negativas ficarão gravadas em sua mente. Portanto, quanto maior for o trauma que viveu, mais vezes precisará repeti-lo por meio do jogo simbólico[20] para diminuir os danos causados pela experiência negativa.

Por esse motivo, muitas vezes, em terapias infantis, a observação da brincadeira da criança é bastante utilizada para perceber o que ela tem vivido e que tipo de relações tem estabelecido com parentes, cuidadores, educadores e colegas. Isso porque, durante a brincadeira, a criança não só cria situações imaginárias como também reproduz cenas e situações que experimentou na realidade.

Assim, o modo como a criança interage com a boneca durante a brincadeira e o que diz a ela ou o objeto que forma com os blocos lógicos e como interage com eles podem ser reflexos de situações vivenciadas.

Contudo, precisamos demonstrar que estamos disponíveis para a criança, aproveitando as oportunidades para interagir e brincar com ela, se interessar pelo que está fazendo, encorajá-la nas brincadeiras, para que esse tempo não se torne um tempo de isolamento, acarretando lapsos de memória.

---

20 Sinônimo de faz de conta. Refere-se ao ato de a criança recriar a realidade por meio da imaginação e da fantasia utilizando sistemas simbólicos, ou seja, atribuindo um novo significado aos objetos. Assim, a vassoura torna-se um cavalinho, a escova é utilizada para representar um microfone, entre outras interpretações.

> **Se quisermos que nossos filhos tenham saúde emocional, precisamos respeitar sua necessidade de tempo e espaço para brincar e fantasiar livremente. Esse é um processo fundamental para o desenvolvimento deles.**

EXPERIÊNCIAS ADVERSAS NA INFÂNCIA

Como vimos, é na família que a aprendizagem emocional tem início. A criança aprende a interpretar seus sentimentos e os acontecimentos com base na interação experimentada com a família.

O modo como os pais interagem com os filhos e respondem, repetidas vezes, às necessidades emocionais deles vai moldar suas respostas emocionais e criar padrões de comportamento que tenderão a se repetir ao longo da vida.

Um estudo[21] com mais de dezessete mil pessoas, quase todas com boas condições financeiras, conduzido por uma equipe multidisciplinar formada pelos doutores Vince Felitti e Bob Anda, do Centro de Controle de Doenças (CDC) dos Estados Unidos em 1998, depois seguido por mais 57 publicações até 2011 e divulgado amplamente pela dra. Nadine Burke,[22] mostra que abuso físico, abuso sexual, assédio moral e emocional, negligência de cuidado e afeto, assim como presenciar no ambiente doméstico violência, abandono, discórdia, divórcio dos pais, dependência química e suas consequências produzem no indivíduo, desde muito cedo, prejuízos avassaladores que o acompanharão por

---

21 ADVERSE Childhood Experiences (ACEs). **The Burke Foundation** [s.d.]. Disponível em: https://burkefoundation.org/what-drives-us/adverse-childhood-experiences-aces/#:~:text=The%20Burke%20Foundation%20supports%20children,death%20in%20the%20United%20States. Acesso em: 16 nov. 2020.

22 Nadine Burke Harris é pediatra e fundadora e CEO do Center for Youth Wellness (Centro de Bem-Estar da Juventude).

toda a vida adulta ou até que consiga reprogramar suas crenças e minimizar ou desfazer os efeitos das chamadas experiências adversas na infância (*Adverse Childhood Experiences*, ou ACEs).

São três os prejuízos causados pelas ACEs que se manifestam desde cedo e vão repercutir na vida adulta:

1. Problemas e doenças físicas.
2. Transtornos e doenças emocionais.
3. Distúrbios sociais e de comportamento.

Em palestras nas quais fala sobre a pesquisa, como na TEDMED 2014,[23] a dra. Nadine aponta, por exemplo, que a exposição a ACEs aumenta drasticamente o risco de sete das principais causas de morte nos Estados Unidos. E não para por aí. Ela mostra, por meio de inúmeras pesquisas, que, quanto mais episódios de adversidades na infância, mais deficiente será o sistema imunológico ao longo da vida, deixando as pessoas suscetíveis à mais simples gripe ou infecção. As pesquisas também confirmam sua experiência prática de médica pediatra que mostra que episódios de ACE afetam o sistema hormonal humano, causando as mais variadas doenças e disfunções endócrinas. Com o avançar das pesquisas, constatou-se que ACEs chegam a mais que triplicar as chances de ter acidente vascular cerebral (AVC) ou infarto do miocárdio. E, quando se julgou haver descoberto todos os resultados que acometiam pessoas que passaram por esses episódios, descobriu-se ainda que crianças expostas a episódios variados e constantes de ACEs possuem três vezes mais chances de desenvolver câncer que uma sem tantos episódios. Crianças expostas a episódios frequentes e variados de ACEs tiveram as chances de cometer suicídio aumentada em mais de doze vezes. Tudo isso sem contar a disposição triplicada ao uso de drogas e ao tabagismo, como também delinquência, crime e desajuste social.

Uma explicação neurocientífica simples: quando uma criança é exposta a uma situação real ou imaginária de risco, o hipotálamo envia um sinal à glândula pituitária, a qual, por sua vez, estimula a glândula adrenal, que libera adrenalina, cortisol. Com isso, essa criança está pronta para fugir do lobo que a ameaça atacá-la. Afinal, com essas

---

23 COMO traumas de infância afetam a saúde ao longo da vida. 2014. Vídeo (15min51s). TEDMED. Disponível em: https://www.ted.com/talks/nadine_burke_harris_how_childhood_trauma_affects_health_across_a_lifetime?language=pt-br. Acesso em: 11 dez. 2020.

moléculas de emoção, a criança terá batimentos cardíacos mais fortes bombeando sangue para as extremidades, dando força e explosão muscular, como também terá os reflexos ampliados e não sentirá tanta dor caso receba algum golpe. Essa transformação química seria muito necessária se essa criança estivesse tendo de enfrentar, de fato, outros animais da floresta. Quem deixou essa criança viciada e dependente química das moléculas de emoção, que combinam adrenalina e cortisol e baixos níveis de serotonina e endorfina, foi um lobo perigoso (ameaça) que, todas as noites, chegava à casa dela, restando-lhe fugir, congelar ou atacar. O que deveria ser um sistema de adaptação para enfrentar uma ameaça foi repetido tantas vezes durante a infância dessa criança que deixou de ser uma adaptação e se tornou um vício da própria adversidade e de suas moléculas de emoção.

As crianças são especialmente sensíveis às experiências adversas traumáticas, não só pelo fato de que seu cérebro está em plena formação como também porque, até os 12 anos, a plasticidade neural é muito mais farta e fácil de acontecer. E são justamente as moléculas de emoção boas ou ruins que se tornarão os vícios ou as virtudes da criança no futuro.

Como as crianças viram, ouviram e sentiram essas experiências, será muito fácil para elas reproduzirem esses ambientes, essas circunstâncias e as moléculas de emoção quando forem adultas.

VÍCIOS EMOCIONAIS

Como vimos, as experiências negativas que tivemos na infância, denominadas por nós no Coaching Integral Sistêmico como vícios emocionais, podem deixar marcas que tendem a nos acompanhar ao longo de toda a vida.

Existem dois tipos de vícios: o químico e o emocional. O primeiro está relacionado ao uso de substâncias lícitas e ilícitas, como álcool e demais drogas, cafeína, entre outras. O segundo, por sua vez, está relacionado a alguma dependência emocional, como criticar, reclamar e se vitimizar. Portanto, está vinculado à busca pela manutenção de contextos afetivos específicos, muitas vezes prejudiciais, que podem nos levar a nos isolar ou a alimentar uma visão distorcida de nossa própria identidade.

As comunicações verbal e não verbal produzem um sentimento, que surge em forma de moléculas de emoção, que são um composto químico ou uma combinação de compostos químicos específicos. Entre eles, destacamos:
- A adrenalina, relacionada ao sentimento de raiva.
- O cortisol, relacionado ao estresse ou à hostilidade.
- A serotonina, que proporciona sensações de bem-estar e felicidade.
- A endorfina, que nos dá a sensação de prazer.
- A ocitocina, hormônio do amor, do afeto e do vínculo.
- A dopamina, que nos proporciona sensação de felicidade.

Nosso corpo torna-se viciado em algumas dessas moléculas de emoção, liberadas repetidas vezes por meio de comportamentos disfuncionais. Os receptores neurais tornam-se dependentes dessa química, de modo que buscamos reviver, de modo inconsciente, a ação que vai produzir outra vez os neurotransmissores que mantêm os vícios emocionais, conforme apresentado no esquema a seguir.

Por exemplo, alguém sempre ativo que sente a necessidade constante de estar sempre realizando coisas, não se permitindo ter momentos de descanso na rotina. Pessoas assim podem estar viciadas em "fazer", possivelmente porque na infância entenderam que seu valor está no que fazem, não no que são. E toda vez que repetem essa ação moléculas de emoção são liberadas, fazendo-as reviver constantemente essa química. Ainda que verbalmente essas pessoas expressem que "não aguentam mais fazer tudo sozinhas", que "estão cansadas de fazer tudo", continuam repetindo o comportamento disfuncional que as mantém aprisionadas a seu vício.

EXERCÍCIO

Você está disposto a descobrir seus sentimentos tóxicos? Dê uma nota de 0 a 10 para a frequência com que sentiu essas emoções nos últimos 10 dias. O objetivo deste exercício é trazer consciência de quanto você tem permitido que emoções tóxicas dominem seus comportamentos.

EMOÇÃO TÓXICA	FREQUÊNCIA
Raiva	
Impaciência/irritação	
Inveja	
Culpa	
Insatisfação/frustração	
Ansiedade/estresse	
Ciúme	
Angústia	
Vergonha	
Medo	

O comportamento que você vive hoje possivelmente diz algo sobre o que viveu durante a infância. Por mais negativo que possa ter sido, produziu uma química emocional que fez seu corpo continuar a repetir hoje determinados comportamentos que garantem a manutenção do vício na química produzida por determinados sentimentos, fazendo com que você continue a buscá-los, mesmo que inconscientemente.

Por incrível que pareça, um vício, para que volte a acontecer, busca sempre alguém que o alimente. Então, por exemplo, há relacionamentos conjugais em que um dos cônjuges é viciado em criticar, e o outro, em ser criticado. Por mais que aquela situação gere em ambos sentimentos tóxicos, um viciado está sempre buscando alguém para alimentar seu vício.

E quando este casal se torna uma família? Além da responsabilidade que possuem sobre si, assumem a missão de educar os filhos que nascem plenos em potencialidades.

Por exemplo, quando, na família, os pais criticam constantemente os filhos por suas ações ou omissões, repetindo: "Você não tem jeito", "Você não faz nada direito", "Você é preguiçoso". Ou, então, reclamam com frequência das ações realizadas pelos filhos ou por terceiros. Esses padrões de comportamento produzem sentimentos tóxicos que contaminam o ambiente familiar e não contribuem para a saúde emocional dos membros da família. Os filhos guardam em si a possibilidade de romper ou continuar repetindo padrões familiares. Isso acontece até o momento em que os pais adquirem consciência de seus vícios emocionais e decidem rompê-los, beneficiando não só a si mesmos, mas à sua descendência.

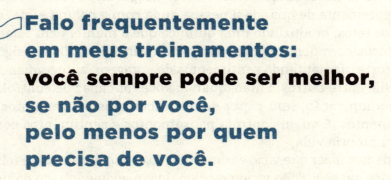

Falo frequentemente em meus treinamentos: você sempre pode ser melhor, se não por você, pelo menos por quem precisa de você.

PAULO VIEIRA

COMO SE LIVRAR DOS VÍCIOS EMOCIONAIS?

Quanto mais os pais estiverem livres de vícios emocionais, mais tenderão a tornar saudável o ambiente ao seu redor para o desenvolvimento, inclusive emocional, dos filhos. Dessa forma, o primeiro passo para se libertar dos vícios emocionais é a consciência de qual tem sido o comportamento negativo que tem se repetido e qual tem sido o "gatilho" que tem mantido você preso a esse padrão de comportamento disfuncional. Uma vez identificado o "gatilho", é preciso mudar a forma como se responde a esse estímulo.

Vamos imaginar, por exemplo, uma situação em que uma pessoa, viciada em ser criticada, escuta de um familiar "Você sempre deixa tudo jogado no meio da casa. Parece que não sabe guardar as coisas no lugar!". Se ela responder com "dor", certamente continuará presa a esse vício. No entanto, se decidir responder de maneira amorosa, como "Desculpe-me. Não percebi que isso o incomodava tanto. Posso colocar no lugar o que deixei espalhado", a tendência será que as críticas passem a vir com intensidade menor ou até desapareçam.

Outro aspecto importante é que, para cada tipo de comunicação, há uma produção hormonal específica. Por exemplo, a pessoa que anda cabisbaixa, com os ombros arqueados, está produzindo hormônios específicos que a mantêm em estado de vitimização, possivelmente alimentando pensamentos como "Sou injustiçado", "Ninguém me valoriza", "Ninguém me respeita", fomentando sentimentos de inadequação, impotência, insegurança, entre outros. Diferentemente de quando a pessoa anda com a coluna ereta, os ombros retos, produzindo uma química que a mantém em estado de vitória, com pensamentos como "Sou vencedor", "Eu consigo", "Sou forte", fomentando sentimentos de coragem, autoconfiança, ousadia, entre outros. Então, quando você for capaz de controlar sua comunicação, será capaz de modificar seus pensamentos e sentimentos. E quem controla pensamentos e sentimentos controla a própria vida.

Podemos dizer que vício e comunicação estão intimamente relacionados, ou seja, todo vício emocional vem acompanhado de um comportamento que produz moléculas de emoção específicas. Se, por um lado, esse é um ciclo vicioso que tende a se repetir, por outro dá a possibilidade de, mudando o comportamento, mudar os sentimentos, os pensamentos e as crenças, conforme apresentado no esquema abaixo, chamado Matriz Ativa de Geração de Crenças.

De acordo com a matriz, toda comunicação verbal ou não verbal gera pensamentos que, por sua vez, produzem sentimentos, configurando, assim, uma crença. E essa crença nos leva a reproduzir a comunicação anterior, colaborando com a repetição do ciclo. Na vida, você sempre terá duas possibilidades: ser vítima sofredora ou herói aprendiz.

Aquilo que você comunica repetidamente ou sob forte impacto emocional interfere naquilo em que acredita e, por consequência, aumenta a probabilidade de determinado fato acontecer, pois toda crença é autorrealizável. Por isso, a comunicação pode ou reforçar nossas crenças ou reprogramá-las. Por conseguinte, aprender a dominar a comunicação verbal e não verbal é a chave para produzir mudanças rápidas e profundas em nossa vida.

Para cada sentimento tóxico, é possível assumir uma comunicação ou uma ação contrária que proporcionará resultado positivo e diminuirá a intensidade e a frequência com que os sentimentos tóxicos aparecem, conforme apresentado na tabela a seguir.

SENTIMENTO	AÇÃO	RESULTADO
Raiva	Perdoar	Amor
Impaciência/irritação	Abraçar	Bem-estar
Inveja	Elogiar	Admiração
Culpa	Perdoar	Serenidade
Insatisfação/frustração	Agradecer	Felicidade
Ansiedade/estresse	V0	Tranquilidade
Ciúme	Amar (a si e ao próximo)	Confiança
Angústia	Celebrar	Paz
Vergonha	Autoavaliar-se	Ousadia
Medo	Ter visão positiva	Coragem

Outra forma de reprogramar crenças e modificar sentimentos, pensamentos e comportamentos disfuncionais é por meio de um processo de imersão em vídeos, livros, cursos e mentorias. Recebemos diariamente feedback dos nossos alunos do Método CIS. Depois de participarem do treinamento e imergirem em nossos livros, vídeos e cursos, eles passam a mudar seus hábitos e a colher resultados extraordinários em todas as áreas da própria vida. É o que denominamos Matriz Passiva de Geração de Crenças, que se refere a tudo aquilo que vemos, ouvimos e sentimos, ou seja, à forma como alimentamos nossos pensamentos e sentimentos por meio de músicas, filmes, entre outros suportes.

A cura dos vícios emocionais é um processo que requer treino diário. Mas vale a pena! Os frutos de viver uma vida saudável e livre de sentimentos negativos beneficiam não só quem decidiu assumir uma nova forma de comunicação, mas todos aqueles que o cercam.

A FORÇA DO PERDÃO

Para que possamos criar um ambiente positivo para nossos filhos se desenvolverem com saúde e força emocional, é fundamental que nós, pais, possamos perdoar nossos pais. Do contrário, tenderemos a repetir, ainda que de modo inconsciente, padrões de comportamentos negativos da família.

O ciclo das dores e dos aprendizados negativos precisa ser deixado no passado. É possível que uma pessoa até queira se afastar fisicamente da família, a ponto de desejar se mudar para outra cidade para se desconectar dela e viver como se ela não existisse. No entanto, isso não vai resolver problema nenhum. Para onde for, você vai se encontrar! Se for para Tóquio, vai se encontrar consigo mesmo quando chegar lá, e o mesmo ocorrerá se for para Nova York ou para qualquer outro lugar. E sabe quem vai estar de mãos dadas com você? O aprendizado que teve na infância com seu pais. Então, fugir de si mesmo, de sua cidade, de sua família não é o caminho.

A estrada genuína é: honrar e perdoar pai e mãe. Bons ou maus, são seus pais. É preciso entender que eles fizeram o melhor que podiam e perdoá-los – necessariamente, perdoar. Por que perdoar? Quando alguém guarda mágoa dos pais, é possível que traga para si padrões comportamentais e emocionais deles. Assim, essa pessoa pode reproduzir, inconscientemente, a ausência, o alcoolismo, a pobreza, entre outros padrões negativos. Muitos sentimentos negativos, queixas, discussões e rancores podem ser fruto disso. Algo muito diferente de quando uma pessoa entende que a família é importante porque, bem ou mal, foi dali que ela veio e aprendeu a ser quem é. Agindo assim, optando por entender que há famílias boas e outras não tão boas, a pessoa conseguirá avaliar a sua e perdoar.

Se um indivíduo olhar a história do próprio pai, talvez perceba que ele tenha sofrido mais que ele próprio; se olhar a história da mãe, talvez se dê conta de que ela sofreu mais. E o fato é que os pais fizeram o melhor que podiam fazer diante das circunstâncias, das experiências e dos aprendizados que tiveram. Na realidade, também foram vítimas de outras vítimas. É possível, por exemplo, que os avós desse indivíduo também tenham sofrido e reproduzido o que aprenderam. É um ciclo vicioso.

O padrão dos pais, caso um indivíduo não os perdoe, vai sempre acompanhá-lo, seja nos momentos de convivência social, seja no

EMOÇÕES: O CAMINHO PARA UMA VIDA PLENA 105

trabalho, seja na vida pessoal, seja nos momentos de lazer, seja na criação dos próprios filhos. Em contrapartida, quando ele perdoa, algo diferente acontece: esse padrão se desfaz.

A partir desse momento, é possível escolher quem se quer ser e como se quer viver, deixando de repetir os mesmos padrões ruins dos pais e criando novos padrões positivos e extraordinários. Assim, consegue-se fincar a bandeira da própria família para criar uma nova história, uma nova descendência e uma nova trajetória repleta de paz, harmonia e cumplicidade. Afinal, como dito, família é a base de tudo, lugar para formar boas memórias.

COMO AJUDAR MEU FILHO A LIDAR COM AS EMOÇÕES?

Diante de tudo que vimos neste capítulo, trouxemos algumas orientações para contribuir com a saúde emocional de seus filhos. São elas:

1. *Cuide de suas emoções e lide com elas de maneira positiva. Seus filhos aprenderão com você.*
2. *Reconheça a própria vulnerabilidade e exercite pedir perdão quando errar.*
3. *Ajude seu filho a reconhecer e expressar suas emoções.*
4. *Com crianças pequenas, você pode apresentar imagens para que elas comecem a identificar o que estão sentindo.*
5. *À medida que seus filhos forem crescendo, vá explicando a eles cada tipo de emoção, quando aparecem e para que servem.*
6. *Demonstre empatia: "Entendo você, filho(a). Mamãe(papai) também já se sentiu assim".*
7. *Ensine a criança a lidar com o próprio erro. Ela precisa saber que errar faz parte do aprendizado e que é capaz de se sair melhor da próxima vez.*
8. *Revele sempre seu amor incondicional por seu filho.*
9. *Dê espaço à livre expressão por meio de brincadeiras, da fantasia, da arte e da escrita.*
10. *Crie experiências que possam gerar memórias positivas de pertencimento, conexão, importância, crescimento, generosidade, missão e limites.*
11. *Celebre as conquistas com seus filhos.*
12. *Comunique amor: abrace, valide, estimule o VO.*
13. *Viva e expresse a gratidão até que ela se torne um hábito.*

EDUCAR, AMAR E DAR LIMITES

CONTEÚDO COMPLEMENTAR

- Vídeo *Você está vivendo seus vícios emocionais*. Disponível em: https://www.youtube.com/watch?v=z3PSsUC21XU. Acesso em: 16 nov. 2020.

Aponte a câmera do celular para o QR CODE ao lado para assistir ao vídeo.

AÇÕES E DECISÕES:

108 EDUCAR, AMAR E DAR LIMITES

CAPÍTULO
4

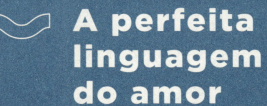

COMUNICAÇÃO:
A perfeita linguagem do amor

"A comunicação é o primeiro quadrante neural para as mudanças. Um lar sadio e feliz começa com uma comunicação de amor."

PAULO VIEIRA

A o longo desses anos, identifiquei dezoito maneiras de amar, algumas que fazem bem e outras efetivamente necessárias. Neste capítulo, vamos apresentar a você algumas dessas expressões de amor que não podem faltar em seu lar.

PAULO VIEIRA

Precisamos despertar as famílias para viverem o extraordinário da vida. Quantas delas estão vivendo o "comum" e considerando "normal"? É comum ver pais não terem tempo nem disposição para desfrutar de momentos ao lado dos filhos, mas isso não é normal. É comum ver crianças adoecendo emocionalmente pela ausência de experiências positivas e fortalecedoras com a família, mas isso não é normal. É comum ver jovens trancados em seus quartos, desrespeitando os pais, mas isso não é normal. É comum ver irmãos sem se falar, mas isso não é normal. É comum ver adolescentes bebendo e embriagando-se, mas isso não é normal.

Normal é ver filhos chegando em casa, beijando e abraçando os pais, contando o que vivenciaram no dia. Normal é ver a família reunida à mesa, rindo de experiências divertidas que aconteceram durante o dia. Normal é ver os pais olhando nos olhos dos filhos e dizendo a eles quanto são importantes, amados e valorosos. Isso é normal!

Neste capítulo, nosso objetivo é que você possa acordar e tomar consciência de seu papel na família. Independentemente da decisão de seu cônjuge ou da idade de seus filhos hoje. Seja qual for as experiências que viveu no passado, decida hoje começar uma nova comunicação na família – uma perfeita comunicação de amor.

 **A perfeita linguagem do amor refere-se à reprogramação de crenças, à geração de novas sinapses neurais e de novos programas mentais** para que você possa desenvolver um novo estilo de vida, aprimorando sua comunicação (interna e externa; verbal e não verbal) e fortalecendo a conexão com sua família.

PARA QUE GRITAR?

Um dia, um pensador indiano fez a seguinte pergunta a seus discípulos: "Vocês sabem por que se grita com uma pessoa quando se está aborrecido?".

Eles ficaram se olhando sem responder.

Então ele esclareceu: "O fato é que, quando duas pessoas estão aborrecidas, o coração delas se afasta muito. Para cobrir essa distância, elas precisam gritar, para poderem escutar-se mutuamente. Quanto mais aborrecidas estiverem, mais forte terão que gritar para ouvir uma à outra, através da grande distância.

Por outro lado, o que sucede quando duas pessoas estão enamoradas? Elas não gritam. Falam suavemente. E por quê?

Porque o coração delas está muito perto. A distância entre elas é pequena.

Às vezes, o coração das duas está tão próximo que elas nem falam, apenas sussurram.

E, quando o amor é mais intenso, elas não necessitam sequer sussurrar, apenas se olham, e basta. Os dois corações se entendem.

É isso que acontece quando duas pessoas que se amam estão próximas.".

Por fim, o pensador concluiu, dizendo: "Fiquem alertas ao perceberem que estão gritando com alguém, principalmente com aqueles a quem mais amam. Mantenha o coração próximo do da outra pessoa, para que entre eles sempre haja entendimento e muito amor.".

MAHATMA GANDHI

EXERCÍCIOS

1. Reflita sobre as perguntas a seguir e registre as respostas que lhe vierem à mente.

   a. Como tem sido a comunicação com seu filho? Tem sido efetiva?

   _____

   _____

   _____

   b. O que você tem dito a ele? Consegue expressar o que sente e também escutar o que ele tem a dizer?

   _____

   _____

   _____

   c. Quando vocês estão juntos, há mais momentos de diálogo, amor, respeito, carinho, paciência e compreensão ou, na maioria das vezes, você está lhe dando ordens, criticando-o e reclamando de algo que ele fez ou deixou de fazer?

   _____

   _____

   _____

   d. Quando é necessário dar limites, você tem conseguido fazê-lo com firmeza e amor? Ou tem feito mais uso de gritos e ameaças para ser atendido?

   _____

   _____

   _____

   e. Hoje, a que distância seu coração está do coração do seu filho?

   _____

   _____

   _____

   _____

COMUNICAÇÃO: A PERFEITA LINGUAGEM DO AMOR **113**

2. Como seria sua vida e sua relação com seus filhos se você conseguisse diminuir o espaço que os têm separado?

_____

_____

_____

3. O que pode fazer para que seus filhos se sintam verdadeiramente amados por você?

_____

_____

_____

4. Quais decisões você toma?

_____

_____

_____

LIBERTE-SE DA CULPA E SEJA TUDO O QUE NASCEU PARA SER

Se existisse túnel do tempo, quanto você daria para voltar ao passado e receber um abraço e um elogio de seus pais? Talvez tenha sentido falta de uma comunicação de amor na infância, por isso vem repetindo os mesmos padrões com seus filhos.

Será que, no futuro, seu filho daria o mesmo que você para voltar ao passado e receber um abraço e um elogio seu?

Na Febracis, partimos do pressuposto de que os pais amam os filhos e sempre acertam mais do que erram. Contudo, muitas vezes, acabamos nos culpando, nos criticando e nos acusando por não conseguirmos educar nossos filhos como gostaríamos.

Temos a tendência de querer fugir de tudo aquilo que gera dor e desprazer. Assim, passamos a querer ignorar o que precisa ser mudado. Desse modo, a possibilidade de agir com integridade da próxima vez só diminui, e nossa identidade e a de todos aqueles ao nosso redor vai, pouco a pouco, sendo destruída.

Portanto, nosso convite hoje a você é: decida se dar uma nova chance, escolha perdoar a si mesmo e a quem o fez sofrer e construa uma nova história para si e para sua família, iniciando um novo tempo para você e toda a sua descendência.

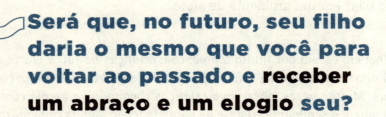

Será que, no futuro, seu filho daria o mesmo que você para voltar ao passado e receber um abraço e um elogio seu?

EXISTE DIFERENÇA ENTRE AMOR E AMAR?

O amor é a perfeita linguagem. Fomos criados em amor e para amar. Não o amor sentido ou pensado, mas aquele comunicado em atos, palavras e ações. O amor comunicado de modo verbal, por meio de palavras, e aquele comunicado de maneira não verbal, por meio de gestos, comportamentos. O amor comunicado de modo puro, irrestrito, intenso e constante produz cura física, emocional e espiritual e beneficia não só a você, mas a todos aqueles ao seu redor. Afinal, como bem compartilhamos no Método CIS, quem decide sobre a qualidade da sua comunicação, também decide de maneira extraordinária a qualidade de seus pensamentos, sentimentos e de toda sua vida.

Muitas vezes, ouço alguém dizer: "Preciso amar mais meus filhos". Pergunto: "Você está se referindo a amar comunicar ou a amar sentir?". Muitas pessoas entendem que amar é apenas um sentimento, quando, na realidade, amar é uma decisão, um verbo, uma ação.

Desse modo, você não depende de sentimentos para amar. Para sentir o amor, é preciso, antes, comunicar. Quanto mais intenso for o **amor comunicado**, mais intenso será o **pensamento** de respeito, amor, honra, carinho. E esse pensamento vai virar **memória**, a qual, por sua vez, produzirá **sentimento**. Esse sentimento se tornará uma **crença**, e toda crença é autorrealizável.

Pais que não amam, não comunicam amor aos filhos, não beijam, não abraçam, não dialogam, não dedicam tempo a eles estão doentes e adoecendo os filhos. De que adianta ter um grande amor pelo filho se esse sentimento não se transformar em ação?

Em contrapartida, pais que comunicam amor estão nutrindo a autoestima dos filhos, enchendo seu " tanque" de amor e transformando o lar em um ambiente de afeto.

Trabalhei em escola por muito tempo, com crianças na faixa etária de 2 a 10 anos. Desde então, tive a oportunidade de atender a diversas famílias. Muitas vezes, observava crianças chegando na escola com a cabeça baixa, o semblante triste, e as ouvia fazendo alguns comentários sobre o que estavam vivendo e como estavam se sentindo. Observava que, frequentemente, as famílias nem imaginavam pelo que essas crianças estavam passando.

Houve um caso em que a criança estava sofrendo bullying na escola. Os pais descobriram e vieram até a instituição exigir que tomássemos providências. Nós, como escola, tomávamos as medidas que nos cabiam. No entanto, eu percebia que o que aquela criança mais precisava era se sentir verdadeiramente amada pela família.

Estudar em escola classe A, ter mochila ou tênis de marca não lhes garantia autoestima. Elas precisavam, antes de tudo, de experiências de pertencimento, importância e conexão em amor na família, por meio das quais uma perfeita linguagem do amor também se manifesta.

Uma criança que não conhece sua real identidade, que se sente insegura, incapaz, inadequada e não conhece seu valor passa a mendigar amor, respeito e atenção dos amigos, como vimos no Capítulo 1. Por isso, meu grande desafio era mostrar àqueles pais que, antes de tudo, a criança precisava recuperar a autoconfiança e a autoestima. E isso começa quando ela experimenta a perfeita linguagem do amor na família.

SARA BRAGA

VOCÊ CONHECE SEU FILHO VERDADEIRAMENTE?

O teólogo cristão Agostinho já dizia que "só se pode amar aquilo que se conhece".

Diante disso, é possível, e até preciso, perguntar: você conhece seu filho verdadeiramente?

Uma das atuais estratégias do marketing digital consiste em mapear profundamente o cliente, conhecer suas dores, seus medos, seus sonhos, entre outros. Isso tudo para que as empresas sejam capazes de utilizar ferramentas mais assertivas para atender à necessidade daquele comprador.

Sua família ou seu filho não são uma empresa ou um negócio que precisa de marketing digital, mas, do mesmo modo, para que você possa se conectar da melhor maneira possível com eles, é preciso conhecê-los em profundidade. Saber qual é a cor favorita, o filme preferido, a comida de que mais gostam, os lugares que gostariam de visitar, os medos, os sonhos, os desejos... Quantas dessas respostas você tem a respeito de seu filho ou de sua família?

Procure descobrir essas coisas aos poucos. Assista a filmes, observe os personagens, conheça o time de que seu filho mais gosta. Vale até fazer uma pesquisa sobre algo de que ele goste muito, como determinado game, por exemplo. Assim, você terá mais elementos para se conectar com ele. Peça-lhe que o ensine a jogar o game preferido e aventure-se na brincadeira. Aprenda a conhecer, a gostar do que ele gosta; procure compreender como ele pensa; conheça mais sobre a personalidade dele e procure saber cada dia mais sobre ele. Você vai perceber e sentir os ganhos desse conhecimento na relação e na comunicação com seu filho.

A seguir, disponibilizamos uma ferramenta simples, porém poderosa, para aumentar a conexão com seus filhos.

COMUNICAÇÃO: A PERFEITA LINGUAGEM DO AMOR **117**

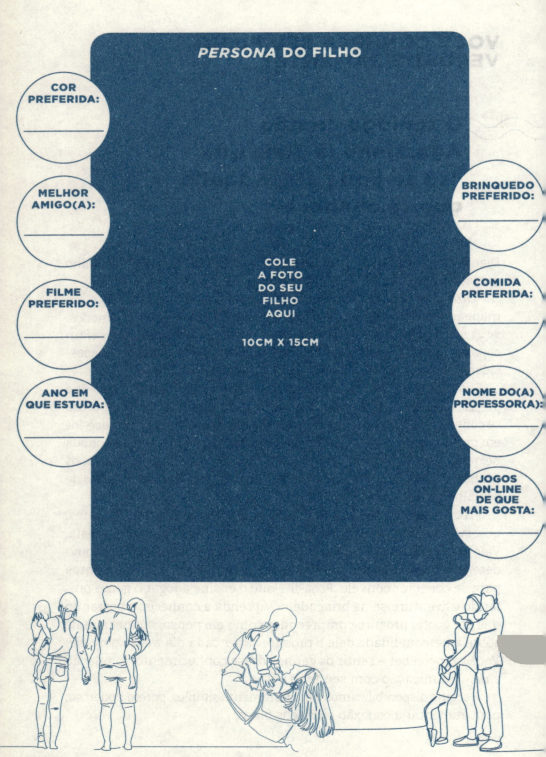

OS FUNDAMENTOS DA PERFEITA LINGUAGEM DO AMOR

A perfeita linguagem precisa ter bases palpáveis para que faça parte do seu dia a dia. Duas características fundamentais dessa linguagem são o conteúdo e, consequentemente, os sentimentos produzidos por ele.

O conteúdo se refere ao que é produzido na pessoa que recebe a comunicação. É como uma mensagem de e-mail lida por quem a recebe. Entretanto, não é qualquer mensagem ou conteúdo que vai produzir a perfeita linguagem.

Há quatro fundamentos de conteúdo da perfeita linguagem: pertencimento, importância, significado e distinção. São fundamentos linguísticos que podem construir ou destruir, aproximar ou afastar, curar ou adoecer, motivar ou desmotivar.

PERTENCIMENTO

Pertencer é uma necessidade humana. O ser humano é, por natureza, um ser social, feito para viver em sociedade. Mostre a seu filho que ele não está sozinho no mundo, que tem uma base, um alicerce maior, que é a família.

Certo dia, atendi ao telefone próximo a um amigo, que me observava enquanto falava com meu filho mais velho. Ele me ouviu chamá-lo pelo nome. Ao desligar o telefone, ele me olhou e disse: "Sara, você chama seu filho pelo nome? Não faça isso. Ele é seu filho! Chame-o de FILHO". Refleti um pouco e percebi que fazia todo sentido o que ele me dissera. Dali em diante, sempre que vou me comunicar com meus filhos, não mais os chamo pelo nome, mas de filho(a). Experiência de pertencimento simples, mas forte.

Pode realmente parecer algo simples, mas, se pensarmos bem, ao falarmos "filho(a)", criamos uma conexão maior com eles e uma sensação de pertencimento. Você consegue se lembrar da emoção quando ouviu seu bebê dizer "Papá... mamá"? Como se sentiu nesse momento? Por certo, uma emoção ímpar, você era o "pai" ou a "mãe" dele. Ninguém mais. É disso que estou falando, de demonstrar um amor personalizado para nossos filhos!

Filhos que sabem que são amados, aceitos e pertencentes à família têm o suporte de que precisam para ir ao mundo e alçar voos mais altos. Tornam-se como uma árvore frondosa, que cresce bonita e forte, pois está bem alicerçada em sua raiz, que é a família.

SARA BRAGA

IMPORTÂNCIA

Outro ponto essencial que precede a verdadeira comunicação de amor é a importância. Quando você para tudo o que está fazendo e olha nos olhos de seu filho, escutando atentamente o que ele tem a lhe dizer, o faz se sentir importante. Ainda que naquele momento você não possa se estender tanto no contato, pode dizer "Filho, que bom ver você. Te amo. Você é meu tesouro. Mais tarde teremos um tempo juntos, só eu você, combinado?".

Permita-se viver momentos a sós com seu filho. Quantas vezes nossos filhos esperam um pouco de nossa atenção? Porém, frequentemente, corremos o risco de lançar sobre eles todo o estresse e a frustração vividos durante o dia. Precisamos vigiar nossas emoções constantemente e perceber de que forma estamos utilizando o tempo que possuímos. Será que não podemos delegar ou abrir mão de determinadas tarefas para estar mais tempo com nossos tesouros?

Nossos filhos não pediram para nascer. E o tempo com eles é precioso e passa muito rápido. Quando são pequenos, em geral, sempre estão abertos e sedentos pela nossa presença. Porém, à medida que crescem, escolhem estar ou não conosco. O que você tem feito para estar mais perto de seus filhos, de modo que eles queiram estar perto de você, porque neste lugar se sentem mais importantes?

Estabeleça uma rotina, com tempo definido, seja qual for o tempo de que você dispõe hoje. Procure delegar ou terceirizar coisas secundárias que vinha fazendo no dia a dia e tomavam o tempo que você tem com seu filho.

Será que você tem dado mais importância a cuidar da casa que a estar com seus filhos? De que forma pode fazer com que seu filho participe das atividades que você precisa realizar, como ajudar a manter a ordem do lar? Se você incentivá-lo e acompanhá-lo, ele terá prazer em ajudar, ainda mais ao saber que vocês ganharão mais tempo de qualidade juntos.

Será que você tem sido pai/mãe de fim de semana? O que pode delegar ou de que pode abrir mão hoje para ter mais tempo de qualidade com seus filhos? Elimine qualquer sentimento de culpa, perdoe

120 EDUCAR, AMAR E DAR LIMITES

a si mesmo pelo que ainda não fez e permita-se agir a partir de agora, de acordo com suas possibilidades, para aumentar a quantidade e a qualidade do tempo que tem com eles.

Reserve na agenda momentos para estar com seus filhos durante a semana. Encontre oportunidades de fazer refeições com eles. A mesa é lugar de encontro e comunhão. Aproveite os intervalos do dia, ligue para seus filhos sem motivo, apenas para lembrá-los de que você os ama.

SIGNIFICADO

Seus filhos sabem o que significam para você hoje? Não estamos perguntando o que significam para você, mas se, de fato, você tem demonstrado, por meio de atos, palavras e ações, o que eles representam em sua vida. Se você perguntasse a seus filhos, neste exato momento, o que eles significam para você, qual seria a resposta deles?

Quantas crianças começam a mentir para os pais, a esconder seus erros e suas falhas, porque temem, ao apresentarem a nota baixa tirada, o brinquedo quebrado, por exemplo, perder o amor deles? É que, embora os pais amem os filhos de maneira incondicional, e saibam disso, muitas vezes isso não fica claro para eles, os filhos.

Crianças são concretas, aprendem por meio do que veem, sentem e ouvem. Será que, quando nos encontramos com nossos filhos, eles percebem nosso sorriso, nosso olhar e nosso entusiasmo? Ou será que temos passado por eles com indiferença ou até mesmo tentando fugir para que não atrapalhem nossos afazeres? Será que eles sabem hoje quão amados são, independentemente do que façam, ou estão a todo momento se esforçando para serem vistos e amados por nós?

Não espere ocasiões especiais para demonstrar a seu filho o que ele significa para você. Não dê como certo que ele sabe quanto você o ama, mas expresse esse amor sabendo quão importante é para uma criança, assim como para qualquer ser humano, se sentir amado! Convide-o o quanto antes para rever os álbuns de fotos e expresse a alegria sentida pela chegada dele na família. Diga a ele que, não importa o que aconteça, ele sempre terá seu amor, pois é seu filho.

DISTINÇÃO

Cada filho é único e precisa saber que é amado de maneira individual e irrestrita. Será que em sua casa há um filho que se sente mais ou menos amado que os outros? Será que você tem um tempo particular com cada um deles? Tem amado a todos eles da mesma maneira ou cada um de modo particular, como cada um deles gostaria de ser amado? Você tem aceitado cada filho do jeito que é ou tem feito comparações entre um filho e os irmãos ou entre seu filho e o "filho da vizinha"?

Quando nossos filhos nascem, criamos uma série de expectativas sobre eles. Mas eles não são nossas expectativas, são o que são. Não nasceram para realizar nossos sonhos e projetos pessoais, mas para realizar um propósito único e particular que está dentro deles. Nosso papel consiste em ajudá-los a ser tudo aquilo que eles têm potencial de ser.

Portanto, nossa aceitação e nosso amor incondicional por cada um deles precisam ser trabalhados dentro de nós para que toda a nossa comunicação verbal e não verbal revele isso a eles. A comunicação fala por si só. E a forma como nos expressamos pode construir ou destruir, afastar ou aproximar, motivar ou desmotivar.

Ao ser incentivada a cada pequena conquista, a criança se desenvolverá com uma visão positiva sobre si mesma e se sentirá empoderada para vencer os desafios da vida.

EXERCÍCIO

Escreva uma carta ao seu filho dizendo o quanto ele é importante, pertencente, único e tem grande significado para você!

Observação: Caso tenha mais de um filho, escreva uma carta a cada um deles, não uma única carta a todos.

COMUNICAÇÃO: A PERFEITA LINGUAGEM DO AMOR

OITO CONDUTAS PODEROSAS PARA UMA COMUNICAÇÃO DE AMOR EFICAZ

1. V0

Estar em V0 significa entrar em velocidade zero. É olhar fixamente nos olhos do outro, respirar com ele e enxergar aquilo que as palavras deixam a desejar. É um momento em que você consegue ter acesso aos reais sentimentos e emoções do outro. Como dizem, os olhos são a porta da alma. Quando olhamos nos olhos do outro, o mundo à nossa volta passa despercebido e nos agarramos ao único tempo que temos: o aqui e o agora.

Então, vamos praticar?

Sente-se diante do seu filho. Olhe-o nos olhos.

No início, pode ser que ele sorria e não consiga fixar o olhar, mas não desista, é assim mesmo. Com treino, você vai colher muitos frutos desse momento.

1. Como será sua relação com seu filho se o V0 virar um hábito?

_____

_____

_____

2. Registre como foi esse momento.

_____

_____

_____

V0[24]

Olhar no olho,
Abrir a alma pra alguém
E não pensar em nada!
É deixar seu coração entrar em sintonia
Com o coração de alguém.
Abraçar sem pressa,
Sentir bem forte as batidas do coração.

---

[24] V0. Intérprete: Ana Canário. In: ISSO dá uma sorte. Fortaleza: [s.n.], 2012.

Nas mentorias e nos treinamentos, costumo sempre orientar os pais que conversem com seus filhos olhando-os nos olhos. Já ouvi muitos pais afirmarem: "Convivo muito com meu filho. Sei tudo o que ele sente. Sempre aproveitamos o tempo que estamos no trânsito para conversar". Mas como alguém pode perceber exatamente o que o outro está sentindo conversando com ele sem o olhar nos olhos? Carro é lugar para conversar sobre trivialidades. Por isso, para entendermos realmente nossos filhos, não pode ser dentro do carro.

Imagine a cena: você para o carro para pegar seu filho na escola. Ele vem ao seu encontro, entra no carro e, quando fecha a porta, você já dá partida. Em seguida, pergunta: "E aí, filho, tudo bem? Como foi o dia hoje?" Ele responde: "Foi tudo bem." No entanto, no instante em que ele disse isso, seus olhos se encheram de lágrima, porque aquele não foi um bom dia. Naquele dia, aconteceu algo que o entristeceu: ele se desentendeu com um amigo e ainda recebeu uma nota baixa. Porém, atento ao trânsito, sem observá-lo por completo, aquilo passou despercebido.

Então, para estabelecer um diálogo verdadeiro com seu filho, você precisa antes se conectar com ele. Pode parecer um pouco desconfortável no início, caso você ainda não tenha prática. Mas comece aos poucos, até se tornar natural. Se ele for pequeno, comece propondo uma brincadeira para ver quem consegue ficar mais tempo sem piscar. Nesse momento, experimente ficar em silêncio, apenas em conexão com ele. Você também pode cantar uma música de amor, fixando os olhos nos dele. Experimente hoje o poder transformador de olhar nos olhos do seu filho e se conectar.

SARA BRAGA

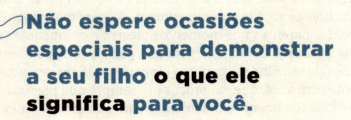

Não espere ocasiões especiais para demonstrar a seu filho o que ele significa para você.

2. ABRAÇO

Parece algo simples, mas quem de nós não gostaria de receber um abraço dos pais? Talvez nossa história não tenha sido de muitos abraços. Porém, hoje já existem pesquisas que demonstram o efeito bioquímico gerado pelo abraço. Esse simples gesto produz ocitocina, que atua no organismo produzindo bons sentimentos como confiança, cuidado, respeito, carinho, segurança e empatia, promovendo bem-estar físico e emocional.

E, falando em ocitocina, um estudo da Universidade de Yale mostrou também que esse hormônio pode aumentar a função cerebral que processa certos tipos de informações em crianças com Transtorno do Espectro Autista.[25]

Além disso, o abraço ainda aumenta o nível da serotonina, também conhecida como hormônio da felicidade, que ajuda a tornar as pessoas mais honestas e gentis.

Quão importante para você é a confiança dos seus filhos? Como seria sua vida hoje se você tivesse experimentado, com mais frequência, o abraço dos parentes nos momentos alegres e desafiadores da vida? Apenas a palavra "confiança" para nós, pais, já seria suficiente. Ter a confiança do seu filho garante que ele conseguirá ser verdadeiro e transparente com você, que vai procurá-lo sempre que precisar.

O abraço é uma ferramenta extraordinária para aumentar a conexão com os filhos e ajudá-los a crescer felizes e fortes emocionalmente. No "Programa Jeito de Viver Família" temos materiais exclusivos para estimular nos filhos a construção de hábitos positivos. Já no Método CIS,

---

25 YARAK, A. Oxitocina, a molécula da moral. Veja, 30 jun. 2012. Disponível em: https://veja.abril.com.br/ciencia/oxitocina-a-molecula-da-moral/. Acesso em: 11 dez. 2020.

apresentamos um exercício que chamamos de Abraço de 40 Segundos, uma prática com benefícios transformadores para a vida e os relacionamentos de quem dá e de quem recebe.

3. EMPATIA

Empatia é a capacidade de entender o que uma pessoa sente diante de uma situação. Consiste em compreender os sentimentos e as emoções, procurando experimentar, objetivamente, como o outro percebe aquele fato.

A empatia funciona como uma espécie de "liga social", que leva as pessoas a se sentirem mais conectadas umas às outras. Está intimamente relacionada ao altruísmo (amor e interesse pelo próximo) e à capacidade de ajudar.

A empatia é essencial para o desenvolvimento de habilidades interpessoais porque é capaz de melhorar a qualidade das relações, auxiliando na proteção de problemas emocionais e comportamentais durante a infância.

Como pais, somos referência para nossos filhos. Portanto, nossas expressões emocionais e atitudes direcionadas a eles vão influenciar a forma como desenvolverão em si essa capacidade. Essa habilidade influencia a sociabilidade, a aceitação pelos pares, a saúde mental, a resolução pacífica de conflitos e a diminuição no comportamento agressivo. Como falamos no Capítulo 3, a pesquisa das emoções-espelho com bebês revela o quanto as crianças imitam os adultos.

Para ensinar empatia aos nossos filhos, podemos ler histórias, escutar músicas, ver filmes e fazer atividades lúdicas que estimulem essa habilidade, como as disponibilizadas no "Programa Jeito de Viver Família".

4. VALIDAÇÃO

Validar é reconhecer que os sentimentos e as atitudes de uma pessoa merecem ser elogiados, respeitados e valorizados. É identificar algo de valor em alguém, por mais simples que seja. A validação agrega valor, traz à tona o que de melhor a pessoa possui e eleva o desempenho em qualquer área da vida.

De maneira geral, o ser humano possui dificuldade de reconhecer as qualidades do outro, e, muitas vezes, esse impedimento aumenta quando as pessoas a quem queremos validar são mais próximas. O ser humano tende a manter o foco no que é negativo.

COMUNICAÇÃO: A PERFEITA LINGUAGEM DO AMOR **127**

O cientista e psicólogo organizacional chileno Marcial Losada, em conjunto com Emily Heaphy, da Universidade de Michigan, estuda as emoções de equipes comerciais de alto desempenho e mostra, matematicamente, a importância de validar positivamente alguém, para obter o melhor de uma relação (seja ela pessoal ou profissional).

Losada descobriu que, para manter qualquer tipo de relacionamento com qualidade, é preciso uma proporção mínima de três interações positivas para cada interação negativa, isto é, para cada crítica feita, você deve fazer, no mínimo, três elogios. Esse é o balanço ideal entre comentários positivos e negativos.

Podemos validar com palavras, mas também com gestos, com um belo sorriso e olhar, ou com um toque gentil e amoroso nos cabelos. É importante que possamos nos valer, sobretudo, de um elogio que empodere nossos filhos, fazendo-os perceber o quanto são capazes. Dessa forma, podemos encorajá-los por suas vitórias com comentários do tipo: "Uau, filho, percebo que você melhora a cada dia!", "Como se sente por ter conseguido isso, campeão?", "Parabéns, filho! Deixa eu te dar um abraço!".

Ao ser incentivada a cada pequena conquista, a criança se desenvolverá com uma visão positiva sobre si mesma e se sentindo empoderada para vencer os desafios da vida.

5. PERDÃO

Perdoar é uma habilidade que necessita de treino. Uma criança não aprende a andar do dia para a noite, e, portanto, o ser humano também não aprende a perdoar de imediato. Assim como toda mudança radical, perdoar requer decisão e muito treino. Muitas vezes, o perdão é uma jornada em que o exercício diário é não criticar mais, não reclamar, não se fazer de vítima, não julgar. E, no lugar dessa antiga comunicação, amar o outro.

O segredo é começar perdoando quem nos causou as dores consideradas mais simples. Afinal, o perdão é um processo, não um acontecimento. Perdão é uma escolha, uma decisão, é restituição. Quem perdoa se torna vitorioso, pois ganha crenças novas e fortalecedoras, iniciadas pelo perdão aos outros e a si mesmo.

6. SURPRESA DE AMOR

Quem de nós não gosta de uma surpresa? Chegar em casa e ver que o almoço é sua comida preferida! Ou receber, de maneira inesperada, algo que havia muito tempo gostaria de ter ganhado. Fazer um passeio para o lugar de que mais gosta. Muitas são as possibilidades de surpreender a quem se ama.

Surpresa de amor não envolve, necessariamente, presentes materiais; às vezes, pode ser um bilhete, um gesto, um lanche.

Nesse ponto, é importante ressaltar que cada criança tem uma forma de se sentir amada. E, ao prestigiá-la, é essencial que pensemos em como ela gostaria de ser amada.

No livro *As 5 linguagens do amor das crianças* (Mundo Cristão, 2017), Gary Chapman e Ross Campbell apresentam cinco tipos de linguagens do amor. Segundo os autores, cada pessoa sente-se mais amada (ou seja, compreende melhor o amor que está sendo comunicado a ela) por uma ou mais de uma dessas formas, também chamada "linguagem primária".

Apresentamos a seguir uma síntese das cinco linguagens do amor:

1. **Palavras de afirmação:** palavras de afeto, elogio, encorajamento; palavras positivas, profecias. Todas são formas de expressar amor com palavras. Por outro lado, palavras que forem ditas de modo intempestivo prejudicam a autoestima.
2. **Tempo de qualidade:** é aquele dedicado exclusivamente à criança; é um momento de atenção mútua, de se conectar com ela, de olhar nos olhos, de sentar no chão para brincar juntos, estando totalmente presente.
3. **Presentes:** consiste em oferecer mimos e lembranças; é um símbolo emocional. Não se trata de valor real, mas do significado atribuído ao objeto oferecido. Uma simples flor recolhida no jardim, um desenho, uma cartinha feita com amor são exemplos de como expressar essa linguagem.
4. **Atos de serviço:** é o amor comunicado em atos, ou seja, ajudar a criança em algo que ela gostaria que fosse feito, como ensiná-la a lição de casa, arrumar o quarto, preparar sua comida favorita, entre outros.
5. **Toque físico:** é o amor expresso por meio do toque. Abraços, beijos e contato físico são percebidos como fonte de amor e carinho.

7. SOCORRER O FILHO EM SUAS NECESSIDADES

Será que seu filho vem lhe pedindo algo que você prometeu que resolveria, mas até agora não tomou nenhuma atitude para que acontecesse? Não queremos dizer com isso que ele não possa esperar. Afinal, nem tudo pode ser na hora e do jeito que ele quer, e esse é um aprendizado valioso para a vida.

Mas será que tem dado, de fato, a devida importância aos cuidados que você deve ter para com ele? Em situações cotidianas simples, corremos o risco de negligenciar os cuidados de que nossos filhos necessitam.

Já presenciei diversas situações iguais a essas na escola. Por exemplo, algumas crianças que chegavam doentes, passando mal. Outras que vinham com as mochilas sem o material necessário à aula daquele dia. Algumas que vinham com a lancheira com o resto de lanche do dia anterior. Outras cujos pais pouco assinavam a agenda escolar, deixando, por isso, de enviar os materiais de que as crianças precisavam para participar de eventos escolares. Crianças que se alimentavam de maneira inadequada todos os dias, com comidas ultraprocessadas. Crianças que chegavam cansadas, com sono, por não terem dormido direito à noite, muitas vezes por falta de rotina na própria casa.

SARA BRAGA

Esses relatos são para que percebamos quão importantes são as necessidades de alimentação, sono, cuidado, segurança e atenção dos nossos filhos. Eles precisam de nossa atenção nesses simples cuidados cotidianos.

8. PROFETIZAÇÃO

Profetizar é predizer o futuro em tom de fé e otimismo. No Evangelho de Mateus 15:11 encontramos: "Não é o que entra pela boca o que torna uma pessoa impura, mas o que sai da boca, isto sim, corrompe a pessoa".

De fato, acreditamos fortemente, como falamos ao longo deste livro, que as palavras têm grandes poderes, que podem ser utilizados de modo a causar efeitos tanto positivos quanto negativos. Se você está sempre repetindo aos seus filhos "Cale a boca", "Você não sabe nada", "Deixa eu fazer logo, porque você não termina nunca", "Estou ocupada, não tenho tempo para você", ainda que inconscientemente, eles vão tirar as próprias conclusões: "Não presto", "Não faço nada direito", "Só atrapalho a vida dos meus pais", "Não sou bom o bastante", e aí por diante. Consequentemente, vão formando crenças deturpadas sobre quem são, o que são capazes e o que merecem viver. E a tendência é que essas crenças se tornem realidade.

Em contrapartida, se você usar a boca apenas para falar coisas boas a respeito de seus filhos, terá só pensamentos felizes e de sucesso sobre eles. Assim, encherá o coração de sentimentos maravilhosos sobre eles. E passará a vê-los como pessoas prósperas, capazes e repletas de valor. A forma como você olhar para seu filho, assim ele será.

A CARTA[26]

Certo dia, Thomas Edison chegou em casa com um bilhete para sua mãe. Ele disse: "Meu professor me deu este papel para entregar apenas a você".

Os olhos da mãe lacrimejaram ao ler a carta, e ela resolveu lê-la em voz alta para o filho: "Seu filho é um gênio. Esta escola é muito pequena para ele e não tem professores ao seu nível para treiná-lo. Por favor, ensine-o você mesma!".

Depois de muitos anos, Edison veio a se tornar um dos maiores inventores do século. Após o falecimento da mãe, resolveu arrumar a casa, quando viu um papel dobrado no canto de uma gaveta. Ele o pegou e abriu. Para sua surpresa, era a antiga carta que o professor enviara à mãe, porém o conteúdo era diferente daquele que a mãe lera anos atrás.

"Seu filho é confuso e tem problemas mentais. Não vamos deixá-lo vir mais à escola!"

Edison chorou por horas e então escreveu em seu diário: "Thomas Edison era uma criança confusa, mas graças a uma mãe heroína e dedicada tornou-se o gênio do século".

Há certos momentos da vida em que é necessário mudar o "conteúdo da carta" para que o objetivo seja alcançado.

Muitas vezes, você também precisará mudar "o conteúdo da carta". Seu filho é muito mais que uma crítica que alguém fez dele ou que um mau comportamento. Quantos pais, na tentativa de corrigir os

---

26 NÓBREGA, E. Carta do professor de Thomas Edison para sua mãe. O Vale do Ribeira, 30 nov. 2015. Disponível em: https://www.ovaledoribeira.com.br/2015/11/carta-do-professor-de-thomas-edison-para-sua-mae.html. Acesso em: 19 nov. 2020.

filhos, atacam sua identidade com frases como: "Você é muito preguiçoso!", "Você não faz nada direito", "Você é irresponsável". A esse respeito, a psicóloga, educadora e autora estadunidense Jane Nelsen faz o seguinte questionamento:

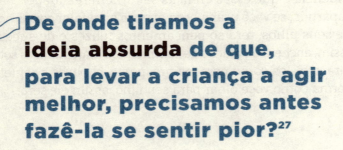

De onde tiramos a ideia absurda de que, para levar a criança a agir melhor, precisamos antes fazê-la se sentir pior?[27]

De fato, não é deturpando a identidade de nossos filhos que faremos com que se tornem pessoas melhores. Ao contrário, a tendência é que se convençam de que são aquele mau comportamento e acabem repetindo-o várias vezes. Então, se é para corrigir seu filho, procure um local reservado, onde estejam só você e ele. Conecte-se com ele primeiro pelo olhar. E corrija a ação, preservando a real identidade dele: "Filho, você é responsável, amigo, gentil, honesto. Esse comportamento não combina com você, não diz, de fato, quem você é". Ensine-o a refletir sobre o que fez e a entender que o erro é uma etapa do aprendizado. Pergunte a ele: "O que você pode aprender com isso?" e "De que forma você pode resolver o que aconteceu?".

Portanto, mude o conteúdo da carta. Corrija o comportamento de seu filho e preserve sua identidade. Profetize coisas boas na vida dele, diga palavras positivas sobre quem ele é e sobre o que vai conquistar. Assumindo o comando da comunicação, toda sua família será beneficiada.

O desafio está em termos domínio próprio e sabedoria para, mesmo diante de situações difíceis e dolorosas, controlarmos as palavras para não reforçarmos essas situações; em usarmos as mesmas palavras para abençoar, mudar a realidade, transformar nossas crenças sobre nós mesmos e sobre os outros.

---

27 NELSEN, J. **Disciplina positiva**. São Paulo: Manole, 2015.

EXERCÍCIOS

Como será sua vida e a de sua família se você utilizar a perfeita linguagem do amor para se comunicar com seus filhos? Responda às questões com os resultados que você vai colher se colocar em prática cada uma das condutas que aprendeu neste capítulo.

1. E se você compartilhar abraços com seu filho todos os dias?

_____

_____

_____

2. E se olhar nos olhos dele e vir sua essência?

_____

_____

_____

3. E se brincar com ele e ele perceber o quanto você o ama?

_____

_____

_____

4. E se estiver mais atento às necessidades dele?

_____

_____

_____

5. E se compreender, de fato, as emoções dele?

_____

_____

_____

6. E se tomar as atitudes que realmente farão diferença na vida dele?

_____

_____

_____

7. E se as desculpas forem substituídas por ações?

_____

_____

_____

8. E, se tudo isso acontecer, como será sua vida?

9. Com base nas respostas anteriores, quais decisões você toma?

_____
_____
_____

> ### CONTEÚDO COMPLEMENTAR
> - Videoclipe *A perfeita linguagem do amor*. Disponível em: https://www.youtube.com/watch?v=RVmNo-USots. Acesso em: 17 nov. 2020.
>
> Aponte a câmera do celular para o QR CODE ao lado para assistir ao vídeo.

AÇÕES E DECISÕES:

_____
_____
_____
_____
_____
_____
_____
_____
_____
_____
_____
_____
_____
_____
_____

CAPÍTULO 5

FASES DO DESENVOLVIMENTO:

O segredo de um crescimento feliz

"Somente a criança que se sente genuinamente amada e cuidada consegue manifestar o que há de melhor em si mesma."

GARY CHAPMAN

Acompanhar o crescimento dos filhos pode ser desafiador e requer de nós, muitas vezes leigos no mundo da educação, dedicação e interesse para que tenhamos as informações corretas. Dessa forma, com sabedoria, poderemos tomar as melhores decisões no dia a dia, com nossa família, a começar pelas coisas mais simples, como falar com os filhos olhando-os nos olhos, validando seus comportamentos positivos e tendo como hábito abraços sem pressa ao longo do dia.

Conhecer as fases que nossos filhos estão vivendo ou pelas quais vão passar nos traz clareza e nos aponta caminhos para uma comunicação assertiva e que reflita verdadeiramente o amor incondicional que sentimos por eles. Afinal, como é compartilhado no Método CIS, a nossa comunicação é um dos meios mais poderosos para atingirmos os resultados que desejamos. Seja em nossa própria vida, seja na relação com os nossos filhos e no desenvolvimento saudável de cada um deles.

FASE INTRAUTERINA

Quando se trata de aspectos físicos e fisiológicos, não há dúvida de que o comportamento saudável da mãe (que inclui alimentação adequada, exercícios físicos corretos e regulares, boas horas de sono, entre outros hábitos diários) é essencial para a boa formação do bebê. Mas e quanto aos aspectos emocionais nesta fase?

É comum e compreensível imaginar que, por estar protegido pelo corpo da mãe, o bebê esteja imune às vivências exteriores. Contudo, a realidade não é bem essa. Estudos comprovam que, durante o estágio fetal, a criança encontra-se em estado de simbiose não apenas físico, mas também psíquico com a mãe, o que quer dizer que há entre eles forte conexão.

Para a psicanalista Joanna Wilheim, da Sociedade Brasileira de Psicanálise de São Paulo (SBPSP), ainda no útero, o bebê consegue sentir o que se passa com a mãe por meio de sinais fisiológicos, como movimentação corporal, frequência cardíaca e hormônios liberados por ela.[28]

Nesse momento, os hormônios que o corpo humano é capaz de produzir fazem toda a diferença. Se comunicamos nossas ações e nossos sentimentos de maneira positiva, proporcionamos momentos de paz e segurança ao bebê. No entanto, se comunicamos sentimentos e comportamentos negativos, proporcionamos ao nosso corpo estado de estresse e inquietação, liberando mais cortisol (hormônio do estresse) e inibindo "hormônios da felicidade", como a serotonina, a dopamina e a ocitocina, o que também é sentido pelo bebê ainda no útero.

O psicólogo e pedagogo José Sometti fala em seu livro *Você é aquilo que pensa* (Editora Cidade Nova, 1985) da importância de a mãe, quando grávida, conversar com seu bebê em nível alfa. Isso significa meditar e, nesse processo, falar com o filho palavras positivas, que transmitam amor, paz e alegria. A prática da meditação também vem a ser um exercício saudável de conexão com o bebê ainda no útero.

Parar em algum momento do dia, sentar-se em posição confortável, fechar os olhos e concentrar-se apenas no momento presente, ouvindo com mais atenção as batidas do coração, é uma forma de entrar no nível alfa a que Sometti se refere. E é durante esse estado de relaxamento e atenção plena que a mãe pode ir falando com seu bebê e consigo mesma sobre o quanto está feliz com a chegada dele, que o ama, que é uma mulher alegre e forte e quão saudável seu bebê já é.

Sometti diz que, ao atingir o nível alfa, o consciente fica mais receptivo e executa tudo o que lhe chega e afeta inconscientemente. Nessa fase, tanto o inconsciente da mãe quanto o do bebê atuam de modo mais perfeito.

Visto tudo isso, é possível afirmar que os sentimentos e as emoções vivenciados pela mãe nesse período podem influenciar diretamente o desenvolvimento da criança. Ou seja, mães inseguras, ansiosas e com baixa autoestima podem gerar nos filhos a tendência a repetir esses padrões. Em contrapartida, mães que vivenciam a gravidez de maneira

---

28 ESTUDOS mostram que fetos armazenam memória e aprendem por meio das sensações. **EBC**, 26 jan. 2016. Disponível em: https://memoria.ebc.com.br/infantil/para-pais/2016/01/estudos-mostram-que-fetos-armazenam-memoria-e-aprendem-por-meio-das. Acesso em: 15 dez. 2020.

mais plena, segura e saudável preparam muito melhor o terreno para a formação de crianças mais felizes e fortes emocionalmente.

No livro *A criança* (Nórdica, 1987), a médica e pedagoga italiana Maria Montessori afirma que quaisquer perturbações nos estágios iniciais podem influenciar toda a vida do indivíduo. Ela acredita que as experiências vividas nas fases embrionária e infantil afetam diretamente nossa saúde na fase adulta.

Certo dia, perguntaram a Montessori:
– Senhora, queria saber quando deverei começar a educar meu filhinho. E a doutora Montessori indagou:
– Que idade tem seu filhinho?
A senhora respondeu:
– Meu filhinho está com 1 ano.
– Então corra, senhora, vá educá-lo rapidamente, porque você já perdeu os melhores 21 meses daquela vida.
– Como 21? Ele só tem 12 meses!
– Fora do ventre – respondeu Montessori –, porque dentro esteve 9. A educação começa no ventre, acariciando-o, dizendo "Eu te amo, seja bem-vindo, você é um anjo para minha vida"...

De acordo com o psicólogo Ezio Aceti,[29] especialista na área da psicologia evolutiva, a unidade simbiótica, representada pela mãe e pelo bebê, é fonte de vida física e psíquica. Sendo assim, ter uma gravidez tranquila, com boa alimentação e cultivando hábitos e sentimentos positivos, dá condições à criança de se desenvolver melhor tanto cognitiva como emocionalmente. Por esse motivo, é fundamental criar um ambiente acolhedor e de paz para os filhos desde a barriga da mãe, que podemos entender como o primeiro lar que habitamos.

Com o nascimento, a criança inicia uma jornada de crescimento fantástico. Diversos estudiosos apontam que são nos primeiros anos de vida que o ser humano apresenta maiores progressos no desenvolvimento motor, cognitivo e socioemocional.

A partir de agora, vamos entender mais ainda sobre as fases de desenvolvimento da criança após o nascimento com base no que dizem renomados estudiosos da área.

---

[29] ACETI, E. **Crescer é uma aventura extraordinária**. São Paulo: Cidade Nova, 2017.

0-3 ANOS

Como vimos, a figura materna, desde a concepção, tem importância significativa na vida da criança sobretudo nessa fase inicial. Nesse período, a mãe representa segurança, vida, amor, atenção exclusiva e fonte de todo o bem.

Mesmo após o parto, o bebê, até o segundo mês de vida, desenvolve-se compreendendo ser uno com a mãe. A criança vê o seio da mãe como prolongamento de si mesma, e todas as emoções, boas ou ruins, são conferidas a ele.

Isso acontece porque nesses primeiros meses a relação entre mãe e filho ainda apresenta características simbióticas advindas da gestação. Entretanto, com base nas pesquisas dos psicanalistas infantis Melanie Klein e Donald Winnicott, observou-se que, após o segundo mês de vida, a criança consegue se distinguir do seio materno e começa a identificar o outro como algo fora dela. Ela já compreende que é uma coisa, e a mãe, outra.

Para Jean Piaget,[30] teórico que trouxe grandes contribuições para a área da psicologia do desenvolvimento, a fase da vida da criança dos 0 aos 2 anos é denominada sensório-motora. Cognitivamente, essa fase indica a capacidade da criança de conhecer o mundo por meio do manuseio de objetos e de seus sentidos. É uma fase marcada pelo movimento e pelas sensações. É por meio do exercício de segurar o objeto, levá-lo à boca, lançá-lo ao chão, entre outras ações direcionadas a esse contato, que a criança apreende o mundo à sua volta e dá saltos no desenvolvimento.

O teórico Henri Wallon, outro grande pesquisador da área do desenvolvimento infantil, denomina a primeira fase, considerada, em geral, dos 0 aos 3 anos de vida, de sensório-motora e projetiva. Para o médico e psicólogo em estudo, nesse período a criança se utiliza da emoção para comunicar suas necessidades, além de ser o modo como cria um elo com o meio biológico e social.

Durante o primeiro ano de vida, Wallon afirma que a criança está voltada à construção de si. Daí podemos entender que a forma como nos comunicamos com essa criança faz toda diferença em sua saúde física e mental, na construção de sua identidade e até mesmo em sua autoestima.

O cuidado, as brincadeiras, as músicas, as histórias, o abraço demorado, o aconchego na hora de dormir são experiências de memórias positivas que ficam marcadas e serão matéria-prima para a formação de crenças positivas de identidade, capacidade e merecimento.

---

30 LA TAILLE, Y. de; OLIVEIRA, M. K. de; DANTAS, H. **Piaget, Vygotsky, Wallon**: teorias psicogenéticas em discussão. São Paulo: Summus, 1992.

Aos 2 anos, de acordo com Wallon, a fala e as condutas são representativas, projetando-se em gestos. Ou seja, os atos motores e a fala não advêm mais da imitação da ação do outro, mas das próprias representações da realidade que a criança constrói na mente.

Além dessas características, um traço importante que interfere significativamente no desenvolvimento humano é o contexto social em que estamos inseridos. Segundo Lev Vygotsky, teórico que estuda o desenvolvimento humano, os seres humanos aprendem com base na mediação de outro indivíduo. Ele compreende que, para avançar da zona de desenvolvimento real (ZDR), onde está em relação ao aprendizado, para a zona de desenvolvimento potencial (ZDP), o que é capaz de alcançar de aprendizado, necessita da mediação de instrumentos e signos, bem como da interação com alguém mais experiente, que pode ser um familiar, um educador, outros colegas da mesma idade ou de idade superior. Os conhecimentos adquiridos por ele, então, vão ter origem nas relações sociais influenciadas pelas condições culturais, sociais e históricas vigentes.

Como pais, somos referência, porque tudo o que uma criança ouve, vê e sente por meio das relações desenvolvidas vai gerar memórias que podem potencializar seu desenvolvimento saudável.

Em resumo, até os 3 anos, as crianças vivem um período crucial no desenvolvimento, pois estabelecem os primeiros contatos com o mundo ao redor e reforçam os primeiros vínculos e relações que vão reverberar durante toda a vida. Todo o desenvolvimento da criança a partir desta fase, todas as experiências vivenciadas, terão marcas desse período.

3-6 ANOS

Você já reparou que uma criança com 3 ou 4 anos, quando está brincando com um coleguinha, costuma não gostar de emprestar seus brinquedos e frequentemente diz que tudo é dela? Isso acontece porque, até mais ou menos os 6 anos, ela tem muita dificuldade em se colocar no lugar do outro, como afirma Aceti.

O que os pais podem fazer nessa situação é conversar com o filho e explicar que entendem que o brinquedo é dele, porém ele pode emprestá-lo por algum tempo para o coleguinha brincar. Provavelmente em alguns minutos ele entregará o brinquedo à outra criança.

Nessa fase, características egocêntricas são muito comuns, pois o mundo gira em torno da criança. Ela é o centro das atenções e seu ponto de vista sobre as coisas depende somente de sua percepção.

É também nesse período que as crianças veem os pais ou cuidadores como deuses. Eles são tudo para elas e elas farão qualquer coisa que pedirem. Logo, tudo o que os pais dizem é visto pelo filho como verdade absoluta. Se falam boas coisas e estão sempre validando a criança, ela tenderá a ter um crescimento mais positivo. Do contrário, se vive em um ambiente de briga e desarmonia, poderá crescer com comportamentos de insegurança e ansiedade.

É essencial que os pais procurem conhecer os filhos com base na visão de mundo deles e sejam capazes de entender o modo como agem, como pensam e os medos que possuem.

Até o tempo, para eles, é diferente do nosso. A criança vê o tempo como algo absoluto, um contínuo eterno que se repete e passa lentamente. Sabendo disso, os pais podem se utilizar desse "tempo eterno" para ensinar os filhos, pois tudo o que a criança vê é importante. Então, se você possui uma relação de amor com ela, tudo o que for ensinado será internalizado e assimilado. Contudo, é imprescindível que os pais tenham inteligência emocional e sejam capazes de criar memórias positivas nos filhos.

É importante também que, ao identificarmos posturas indesejadas nos filhos, possamos nos fazer as seguintes perguntas:

- Por que meu filho apresentou este comportamento? É reflexo de sua personalidade?
- Há algo na rotina familiar que precisa ser mudado?
- Com quem, onde e quando ele adquiriu esse comportamento?
- O que posso mudar em meu comportamento para facilitar a mudança de comportamento do meu filho?
- Que rede de apoio posso criar para o bem dele?

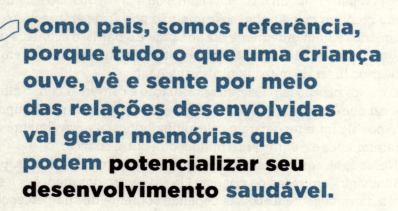

Como pais, somos referência, porque tudo o que uma criança ouve, vê e sente por meio das relações desenvolvidas vai gerar memórias que podem potencializar seu desenvolvimento saudável.

É essencial que nós, como pais, não isentemos a criança de suas responsabilidades. Devemos atribuir a ela somente aquilo a que é capaz de responder. Cabe a nós, como adultos autorresponsáveis, conduzir a educação dos nossos filhos implementando as modificações necessárias para que deem saltos positivos no desenvolvimento.

Inclusive, um alerta é que os pais não devem deixar os filhos chorando por muito tempo. Alguns pais acreditam que essa atitude é realmente prejudicial, outros a tratam como mito, mas o ato de deixar uma criança chorando por muito tempo fará com que ela acredite que não merece atenção. E, como já vimos, pais e cuidadores são tudo para a criança. O amor deles é incondicional. Situações como essa podem passar para a criança a impressão de que você não a ama, então ela fará tudo para obter esse amor de volta.

Do mesmo modo, a birra é uma forma de demonstrar a incapacidade da criança em lidar com o "não", além de ser um ato egocêntrico típico da idade. Sabendo disso, os pais podem encontrar um meio de lidar com essas atitudes, como esperar a criança se acalmar e conversar com ela olhando-a nos olhos.

Também é comum, nesse período, o medo, que tem origem na ansiedade da separação com a mãe e consigo mesmo, bem como no fato de a criança não conhecer a realidade. Tudo antes estava muito vinculado à sua maneira de ver as coisas. É corriqueiro as crianças terem medo do primeiro dia de aula, pois acham que o pai ou a mãe não vão voltar para pegá-las. Elas costumam ter medo de dormir, pois não conseguem distinguir o mundo real do imaginário.

Uma forma incrível de ensinar crianças nessa faixa etária é por meio de brincadeiras. Como fala Piaget, "brincar é alimento para a mente". De acordo com o teórico, seus filhos desenvolvem habilidades enquanto brincam. De início, desenvolvem as primeiras manipulações motoras fazendo experiências com objetos e, posteriormente, por volta dos 2 anos, passam a brincar do "jogo da imitação", quando começam a imitar a mãe, por exemplo. Com o passar dos anos, as brincadeiras vão se estruturando cada vez mais e evoluem para brincadeiras sociais realizadas com outras crianças ou adultos.

Inclusive, é nessa fase que a criança vê seus brinquedos como continuação de seu ser, uma ideia muito advinda da lógica egocêntrica inerente a ela, como já visto. Em geral, crianças com mais ou menos 3 anos de idade não gostam muito de emprestar seus brinquedos. Costumam, muitas vezes, chorar quando a mãe ou o pai

FASES DO DESENVOLVIMENTO

lhe tomam o brinquedo e o entregam à outra criança. Isso porque o brinquedo é como um pedaço delas mesmas que não pode ser entregue sem sua permissão.

A criança, nessa fase, pode apresentar comportamento centrado em suas vontades, mas é uma época da vida que não dura para sempre. Por volta dos 6 ou 7 anos, ela passará a enfrentar sozinha a realidade que a cerca e aprenderá a se colocar no lugar do outro.

7-9 ANOS

Nesse período, o desenvolvimento cognitivo da criança tem evolução extraordinária, e ela passa a assumir mais características de racionalidade. A realidade torna-se mais objetiva, deixando de se resumir apenas a maneira dela de ver o mundo. Os pais não são mais tão perfeitos e absolutos, e ela já consegue identificar as falhas e qualidades deles, dos outros e as suas próprias.

Wallon entende que entre 5 e 9 anos, com maior evolução da cognição, há tendência ao aparecimento de uma forma mais diferenciada de pensamento, denominado por ele categorial. Nessa fase, são desenvolvidas as capacidades de abstrair conceitos concretos, e a criança inicia um processo de categorização mental. Atribui a cada objeto as características próprias dele, tornando-o distinto dos outros.

À medida que as estruturas cognitivas evoluem, a criança também passa a adquirir competências sociais e relacionais que favorecem sua inserção em grupos. Para ela, nessa fase, fazer parte de um grupo é essencial. Seja entrar para o time de futebol, de vôlei ou de xadrez, o importante é que ela possa exercitar as habilidades sociais indispensáveis à vida.

Ao participar de grupos, fica mais fácil para a criança a assimilação de regras e a comunicação empática. Aqui, podemos lembrar das experiências de pertencimento e importância fundamentais para o desenvolvimento emocional saudável da criança.

A escola torna-se, nesse período, um dos lugares mais importantes para a criança depois de sua casa. É nesse ambiente que ela será estimulada a adquirir mais conhecimento e crescimento cultural, porém é importante entender que cada criança é única e possui um ritmo de aprendizagem diferente e pessoal. Se esse ritmo não for respeitado, ela poderá perder a motivação e ter dificuldade de aprendizagem.

Com a vida escolar em curso, os pais precisam estar atentos e apoiar os filhos quando atingem bons resultados, manifestando alegria, reconhecendo suas conquistas e validando-as. Da mesma forma, é crucial apoiá-los quando apresentam resultados negativos. Os filhos devem ser encorajados e motivados a melhorar e superar as dificuldades, por saberem que não estão sozinhos, mas sem deixar de adverti-los com propriedade, se for preciso. Uma criança que não tem o apoio dos pais poderá crescer desmotivada, sem vontade de realizar atividades comuns, como ir à escola, e adquirir comportamentos que não tinha antes, como mentir.

HISTÓRIA DA MILENA

A mãe de Milena, de 7 anos, foi chamada na escola, pois a filha havia brigado com a coleguinha de sala de modo bastante rude e grosseiro, muito diferente do comportamento habitual da menina, sempre cortês e gentil. A professora recebeu a mulher, que parecia incomodada por precisar estar naquela reunião, e contou o que acontecera.

Em meio ao relato da professora, o telefone da mãe de Milena tocou. Era o pai da criança. Muito irritada com o marido, os dois começaram a discutir, e a mulher desligou o aparelho enfurecida, dizendo: "Aquele idiota não sabe o que é ter que estar aqui no meio do dia resolvendo os problemas da filha dele".

Naquele momento, a professora começou a compreender o que estava acontecendo. O comportamento agressivo de Milena era resultado do comportamento negativo dos pais em casa, os quais, aparentemente, discutiam com frequência e eram rudes um com o outro. E, como pareciam não dar importância às questões da filha, era uma forma de Milena chamar a atenção daquelas duas pessoas tão importantes para ela.

A professora decidiu aconselhar a mãe da menina mostrando-lhe quanto seu comportamento negativo estava afetando a filha e quanto poderia interferir em seu desenvolvimento. Após algum tempo conversando e sendo aconselhada pela educadora, a mulher concordou com o que havia sido dito e decidiu que, pelo bem de Milena, encontraria uma forma positiva de se entender com o marido e dar mais atenção à filha.

Não demorou muito, apenas algumas semanas depois, e a professora já conseguiu notar uma mudança considerável no comportamento de Milena. Ela pediu desculpas à coleguinha, admitiu que errou e voltou a demonstrar o comportamento de antes. Até suas notas, que já eram boas, melhoraram ainda mais.

A compreensão dos pais de que a filha é o bem mais precioso que possuem, que merece toda a atenção e amor do mundo, fez toda diferença para que Milena voltasse a ter um desenvolvimento saudável e feliz.

10-12 ANOS

Quase na adolescência a criança já desempenha diversas atividades que envolvem contato social, além do meio familiar, e passa por algumas transformações físicas desencadeadas pela "avalanche" de hormônios que tomam conta dela. As relações de amizade, por exemplo, tornam-se cada vez mais importantes.

Se quando mais novos nossos filhos já eram bombardeados por informações advindas de diversos meios, à medida que a inteligência se desenvolve, todo o conhecimento adquirido lhes permite conhecer o mundo com suas regras, normas, descobertas científicas e oportunidades. Esse é o momento propício para as crianças aprenderem a conviver umas com as outras.

Sabemos que somos seres de relacionamento, e é nessa época da vida que começamos a compreender melhor o valor de uma amizade verdadeira, com suas alegrias e seus desafios. Especialmente nessa fase as crianças necessitam de apoio para saber lidar com os erros e as falhas dos amigos.

É nesse momento que nós, pais, temos a oportunidade de ensinar aos nossos filhos valores como tolerância e perdão com os outros e consigo mesmos. Eles estão se descobrindo e, nesse processo, precisam de ajuda para se aceitarem como são. A criança pode desejar ser grande, acreditando ser um super-herói que nunca erra. Mas é essencial que ela compreenda que somos seres que podem errar, porém devemos aprender com os próprios erros, exercitando a tolerância e o esforço.

Nesse sentido, o perdão vem a ser um valor importante a ser trabalhado com as crianças, que passam a viver em comunidade de maneira mais intensa. Ensinar a elas a pedir desculpas e perdão pelos erros cometidos é fundamental para uma convivência saudável com todos ao redor e consigo mesmas.

> No Método CIS, é impactante descobrir e aprender que todos os problemas que temos, em todas as áreas da nossa vida, têm origem no que chamamos de estado de não-perdão. Daí a importância dos pais e mães conhecerem e ensinarem aos filhos desde cedo sobre o papel do perdão em nossas vidas, em nossas conquistas, em nosso desenvolvimento e em nossa saúde emocional.

Nessa fase, é importante estar alerta a comportamentos mais introvertidos, em que nossos filhos parecem não se importar tanto quando algum amigo o magoa, por exemplo. Os pesquisadores Daniel Siegel e Tina Bryson, autores do best-seller *O cérebro da criança* (nVersos, 2015), denominam esse comportamento como deserto emocional. É quando os sentimentos são ignorados ou negados. Tina conta um caso que aconteceu com uma menina de 12 anos, tratada por Daniel, bastante comum com crianças nessa idade. Nós mesmos, provavelmente, já passamos por isso.

HISTÓRIA DA AMANDA

Amanda, uma menina de 12 anos, havia brigado com a melhor amiga, e quando interpelada pela mãe sobre o que havia acontecido deu de ombros e disse que não importaria se não falasse mais com a amiga, pois ela a deixava irritada mesmo. Porém, a mãe de Amanda sabia que a briga havia sido muito dolorosa para a filha, então marcou um passeio ao parque com uma bela cesta de piquenique.

Ao conversar com Amanda, a mãe notou que ao falar sobre o ocorrido ela teve reações físicas sutis que denunciavam os reais sentimentos dela com relação à discussão com a amiga. A expressão em seu rosto demonstrava frieza e resignação, mas o leve estremecimento do lábio inferior e o suave tremor ao abrir e fechar as pálpebras denunciaram os verdadeiros sentimentos da menina.

A mãe tentou ajudá-la a compreender que, mesmo sendo difícil pensar e lidar emocionalmente com o que aconteceu, ela precisava respeitar o que estava sentindo. Para Amanda, podia parecer mais seguro se resguardar e reprimir suas emoções naquele momento, mas seria negar uma parte dela mesma que ela precisava reconhecer.

Ela, então, procurou se conectar com os sentimentos verdadeiros da filha. Não a acusou de estar escondendo algo, mas tentou sentir o que ela estava sentindo. Adotou posturas parecidas e expressões parecidas com as de Amanda para que pudesse ver que elas estavam em sintonia. Isso a ajudou a compreender que ela era sentida, percebida e que não estava sozinha.

Ao estabelecer a conexão, a mãe conseguiu que a filha falasse de modo mais natural sobre o que havia acontecido. A pedido dela, Amanda recontou a história, parando em alguns momentos importantes, para que ela pudesse entender o que sentiu naquele exato instante e pudesse lidar de maneira mais produtiva com suas emoções.

Sabemos que não é fácil ser pré-adolescente; o desenvolvimento de sua inteligência está bem mais aflorado que o de suas competências emocionais, que continuam em evolução. Portanto, as crianças, nessa fase, podem acabar deixando de lado e enterrando sentimentos que, mais tarde, na vida adulta, poderão levar a transtornos depressivos ou a outros problemas de saúde. Ou durante a própria adolescência.

O fato é que não queremos que nossos filhos passem por situações de sofrimento, mas, quando elas ocorrerem, é de extrema importância que possam aprender, crescer e saber lidar racional e emocionalmente com elas. Daniel e Tina falam que é essencial que as crianças consigam integrar razão e emoção, ou, como chamam, integrar o lado esquerdo e o direito do cérebro. O que Daniel fez com Amanda foi uma tentativa de integração: fazê-la recontar a história de modo linear e objetivo, trazendo as sensações e emoções do que viveu a cada momento importante.

De acordo com os autores, a saúde emocional é o fluxo harmonioso entre os dois extremos do cérebro. É saber utilizar, na medida certa, a razão e a emoção. Ao ajudar nossos filhos a integrarem esses dois extremos, eles poderão navegar de um lado para o outro de modo mais saudável, podendo-se abrir a novos estímulos e a novas experiências.

Vimos, até aqui, um esboço da jornada que nossos filhos enfrentam nos primeiros anos de vida. É um grande descortinar para o mundo, com diversas cores, sabores, emoções e experiências. É o início de uma vida inteira que eles terão pela frente. E nossa participação na constituição e na descoberta de quem eles são é de extrema importância, além de sermos nós que proporcionamos as experiências que vão marcar todo o desenvolvimento deles.

Entender que, como pais, dar a devida atenção não apenas à saúde física mas também emocional de nossos filhos é imprescindível. Nesses primeiros anos, nossos filhos estão desenvolvendo suas estruturas cognitivas e emocionais. E suas emoções vão interferir diretamente na evolução de sua inteligência racional à medida que crescem.

É fundamental, ainda, que tenhamos a consciência de que nossa saúde emocional vai interferir no desenvolvimento de nossas crianças, da mesma forma que nossa própria autoestima interfere na construção da autoestima delas. Como já discutimos, até os 6 anos somos os principais referenciais para elas. O que sentimos, o que falamos e como nos comportamos são sentidos e replicados. Se nossos filhos são afetados por nossas emoções desde o útero, imaginem quando já são seres conscientes de si e da realidade que os cerca?

Nossos filhos são tesouros para nós. É uma missão linda e preciosa ser pai e mãe ou assumir esse papel. É desafiador, requer muito esforço, paciência, tolerância, cuidado e, primordialmente, amor. Um amor que precisa ser construído todos os dias a cada linda fase vivenciada por eles junto a nós.

EXERCÍCIOS

1. Independentemente da fase de desenvolvimento em que seu filho está, qual é a qualidade de sua conexão com ele?
Péssima ( ) Ruim ( ) Regular ( ) Boa ( ) Ótima ( ) Excelente ( )

2. Como seu estilo de vida tem afetado o desenvolvimento dele?
_____
_____
_____

3. Relate três experiências positivas que você vivenciou recentemente com seu filho. Com qual frequência elas acontecem no cotidiano de vocês?
_____
_____
_____

4. O que você decide fazer, hoje, para intensificar um desenvolvimento emocional saudável e feliz na vida do seu filho?
_____
_____
_____

Com a vida escolar em curso, os pais precisam estar atentos e apoiar os filhos quando atingem bons resultados, manifestando alegria, reconhecendo suas conquistas e validando-as.

CONTEÚDO COMPLEMENTAR
- Vídeo *A importância da leitura em cada fase do desenvolvimento.*
Disponível em: https://febra.site/fasesdedesenvolvimento.
Acesso em: 02 dez. 2020.

Aponte a câmera do celular para o QR CODE ao lado para assistir ao vídeo.

AÇÕES E DECISÕES:

CAPÍTULO 6

ADOLESCÊNCIA:
Não pare no meio do caminho

"Quando chegamos à adolescência a vida está em plena ebulição. E essas mudanças não são algo a se evitar ou superar, mas a se encorajar."

DANIEL SIEGEL

ONDE ESTÁ MEU BEBÊ?

A chegada de um bebê, em geral, é um momento muito especial na vida da família. Muitas expectativas são criadas, é um misto de medos, alegrias e esperanças. Todos se reorganizam e se preparam para atender às necessidades daquele novo membro que acabou de chegar! Eis que o tempo passa e esse filho vai crescendo e chega, enfim, à adolescência!

O filho que antes aceitava as regras, os costumes e os valores da família começa agora a questioná-los. Recusa-se a usar as antigas roupas e o estilo de outrora parece não lhe agradar mais. Fecha-se no quarto, quer sair sozinho com os amigos… Agora, é ele quem escolhe se quer estar com você. Todo o manejo e todas as ferramentas que aprendemos a utilizar para nos conectar com ele parecem não funcionar mais. E agora, o que fazer?

Talvez você se identifique com alguns desses pensamentos e situações. Com muita frequência, recebemos inúmeras demandas como essas de pais que têm filhos adolescentes. Posso assegurar também que, além de atender a inúmeras famílias em situações semelhantes, experimentei na pele essas angústias quando meus filhos despontaram nessa nova fase. Mas uma coisa é certa: o tempo passa, e precisamos deixar a vida seguir seu fluxo, aceitando as transformações que nos esperam a cada nova fase e também nos preparando para elas.

SARA BRAGA

TORNAR-SE OCEANO[31]

Diz-se que, mesmo antes de um rio cair no oceano, ele treme de medo.

Olha para trás, para toda a jornada, os cumes, as montanhas, o longo caminho sinuoso através das florestas, através dos povoados, e vê à sua frente um oceano tão vasto que entrar nele nada mais é do que desaparecer para sempre.

Mas não há outra maneira. O rio não pode voltar. Ninguém pode voltar. Voltar é impossível na existência. Você pode apenas ir em frente.

O rio precisa se arriscar e entrar no oceano. E somente quando ele entra no oceano é que o medo desaparece.

Porque apenas o rio saberá que não se trata de desaparecer no oceano, mas tornar-se oceano.

Por um lado é desaparecimento e por outro lado é renascimento.

Diversos mitos circulam por aí sobre essa etapa da vida chamada adolescência. Certamente, você já ouviu alguns deles e até acreditava que eram reais. O grande problema é que, quando tomamos para nós essas crenças do senso comum, corremos o sério risco de cometer alguns equívocos na relação com nossos filhos. Afinal, como pais, mais acertamos que erramos. Se não fizemos mais é porque não sabíamos.

Portanto, a relação que não tem hoje com seus filhos é pelo que você ainda não sabe, porque, se soubesse, já a teria. Faz sentido para você? Então, venha conosco desbravar esse universo que é a adolescência, para se conectar de maneira ainda mais assertiva com seus filhos. Vamos começar essa viagem descortinando alguns mitos que circulam por aí sobre esse período da vida.

DESMISTIFICANDO A ADOLESCÊNCIA

MITO 1: "ABORRESCENTES" SÃO REBELDES

O primeiro mito que escutamos recorrentemente é o de que tudo é culpa dos hormônios e agora eles são "aborrescentes" e "rebeldes"! Coitadinhos dos hormônios, sempre levam a culpa. De fato, há alterações hormonais nesse período, porém isso é apenas um aspecto do

---

31 OSHO. O rio e o oceano. **Pensador** [s.d.]. Disponível em: https://www.pensador.com/frase/NTE2MDM1/. Acesso em: 17 nov. 2020.

todo. Na realidade, o cérebro adolescente também está passando por profundas transformações, e conhecer mais a fundo o que se passa dentro dele nos dá uma nova visão sobre esse momento singular da vida de um indivíduo.

É preciso ter cuidado com o que se diz aos adolescentes. Pesquisas como o experimento do pote de arroz com água, de Masaru Emoto, submetido à energia de palavras de afeto, indiferença e agressão, mostraram que, enquanto o primeiro pote conservou a qualidade do arroz armazenado, o segundo apodreceu e o terceiro ainda mais,[32] revelando o poder das palavras.

Como vimos no Capítulo 2, nossa comunicação verbal ou não verbal, sobretudo expressa pelos adultos de referência para nós, forma nossas crenças. E toda crença é autorrealizável, ou seja, propensa a acontecer. Portanto, temos que aprender a utilizar a comunicação verbal a nosso favor, não contra nós.

Reflita agora por alguns instantes: como você quer que seu filho seja daqui a cinco, dez, vinte anos? Quanto suas atitudes em relação a ele e as palavras que tem falado tem contribuído para que ele venha a ser tudo aquilo que tem potencial para se tornar?

MITO 2: A ADOLESCÊNCIA É UM PERÍODO A SER SUPERADO

O segundo mito que queremos desmistificar está relacionado à crença de que a adolescência é uma fase a ser superada. Será que já ouvimos ou dissemos sobre nosso adolescente algo como: "Calma, é só esperar um pouco que vai passar…".

Muitos de nós tendem a encarar a adolescência como algo a ser simplesmente superado. Porém, não é bem assim. Esse também é um período da vida repleto de oportunidades únicas e fundamentais para o desenvolvimento do nosso filho.

MITO 3: ADOLESCENTES PODEM SE VIRAR SOZINHOS

O terceiro mito é acreditar que agora nossos filhos são independentes e podem se virar sozinhos. Ao olharmos externamente o corpo

---

32 FONSECA, A. Experiência com palavras de amor e ódio muda forma de arroz em escola do Paraná. **G1**, 31 maio 2017. Disponível em: https://g1.globo.com/pr/parana/noticia/palavras-de-amor-e-odio-fazem-parte-de-experiencia-e-mudam-forma-de-arroz-em-escola-do-parana.ghtml. Acesso em: 11 dez. 2020.

deles e até sua estatura (alguns ultrapassam até mesmo a altura dos pais), tendemos a tratá-los como se já fossem adultos. Porém, esse é um grande equívoco.

O cérebro de nossos adolescentes está passando por mudanças profundas. E aqui vale uma máxima: toda transformação neuronal gera alteração comportamental. Portanto, esse cérebro, embora amadurecido cognitivamente, ainda está em processo de maturação emocional e sendo intensamente remodelado, como veremos mais adiante.

Desse modo, por mais que os adolescentes tenham a tendência de se afastar um pouco mais dos adultos e buscar maior aproximação com os colegas da mesma idade, ainda precisam da nossa presença e de quatro memórias primordiais nesse período: memória de conexão, pertencimento, importância e limites. O que você tem feito hoje para gerar essas experiências na vida de seus filhos?

Não se esqueça de que as memórias vividas por um filho adolescente também vão compor as crenças dele. E como vimos ao longo do livro e aprofundamos no Método CIS, toda crença é autorrealizável.

QUANDO COMEÇA E TERMINA A ADOLESCÊNCIA?

A adolescência é marcada pelo início da puberdade, que se apresenta pelo desenvolvimento do corpo e de alterações nas características sexuais secundárias, como o desenvolvimento dos genitais e músculos maiores nos garotos, bem como de quadris mais largos e desenvolvimento dos seios nas meninas.

Essas mudanças se dão em razão dos hormônios, que agem ajudando a regular o crescimento e a ativação das regiões sexuais do organismo. Porém, as mudanças cerebrais podem não acontecer ao mesmo tempo que as alterações sexuais.

Atualmente, há relatos de que as crianças têm iniciado cada vez mais cedo a puberdade, o que pode ser atribuído à alimentação e até mesmo à exposição a elementos químicos, entre diversos outros fatores.[33]

Mas quando termina a adolescência? Pesquisas indicam que cada vez mais os jovens têm demorado a sair da casa dos pais. Psiquiatras

---

[33] NUEZ, J. T. de la. Por que a puberdade começa cada vez mais cedo. **BBC News Mundo**, 3 nov. 2018. Disponível em: https://www.bbc.com/portuguese/geral-46027392. Acesso em: 11 dez. 2020.

como Daniel Siegel falam em adolescência prolongada, que começaria por volta dos 11 anos e se estenderia até os 24 ou mesmo até os 28 anos.

O QUE ACONTECE NO CÉREBRO DO ADOLESCENTE?

O cérebro do adolescente é marcado por três grandes processos: intensa poda neural, mielinização e alteração no sistema de recompensa.

PODA NEURAL

De fato, a adolescência é um período em que o cérebro está sendo remodelado em razão de intensa poda neural, ou seja, diminuição do número de neurônios e sinapses.

Os neurônios são as células básicas do cérebro, e sinapse é o nome dado à comunicação existente entre essas células. A cada situação nova ou recorrente, milhões de neurônios são ativados, promovendo o processamento da informação recebida. Cada estímulo externo ou interno envolve o recrutamento de células cerebrais específicas.

Na adolescência, ocorre a poda ou desativação das células que não estão sendo estimuladas e de sua consequente sinapse. Esse processo, além de ocorrer por uma programação genética, também é influenciado pela qualidade das experiências vividas. A neurociência demonstra que, quanto maior for o estresse vivido pelo adolescente nessa etapa, mais intensa será a poda neural.

Embora seja um evento normal e importante para o organismo, antes dos 12 anos a criança tem mais chances de aprender coisas novas – é o que hoje se conhece por janelas de oportunidade. Daí a importância de que tanto crianças como adolescentes possam dispor de um ambiente enriquecido por relações saudáveis e por experiências diversas e fortalecedoras, favoráveis ao seu desenvolvimento.

No entanto, se seu filho já passou pelo início da adolescência, saiba que nunca é tarde para amar. Conectar-se em amor com ele é o primeiro e principal remédio que você pode lhe dar. As experiências de pertencimento, importância, conexão e limite são fundamentais para serem vividas. Afinal, são memórias com significado e sentimento que se tornam crenças.

ADOLESCÊNCIA: NÃO PARE NO MEIO DO CAMINHO **157**

Em qualquer momento da vida é possível reprogramar crenças. A descoberta da plasticidade neural comprova que há sempre possibilidade de aprender coisas novas e de se adaptar a novas experiências.

MIELINIZAÇÃO

Outro processo que está a todo vapor no cérebro do adolescente é a mielinização. Esse processo se refere à formação do revestimento de bainha de mielina, que são envoltórios formados ao redor do axônio (uma das partes que compõem o neurônio). Esses envoltórios permitem que o fluxo de informações no cérebro se torne mais rápido e sincronizado.

É importante ressaltar que a última parte do cérebro a ser revestida pela bainha de mielina é o córtex pré-frontal, responsável pelas funções superiores e executivas, como foco, atenção, memória de trabalho, juízo (essencial no processo de tomada de decisão), entre outras.

A consciência disso é fundamental para a família, pois muda a forma como lidamos com os filhos.

Entender que os filhos ainda estão em processo de maturação reforça a importância de nossa presença, paciência e auxílio neste momento da vida.

ALTERAÇÕES NO SISTEMA DE RECOMPENSA

Não há dúvida de que o cérebro adolescente é extraordinário, mas também repleto de riscos. Podemos dizer que o limiar entre esses dois extremos é, de fato, muito tênue.

Mas por que isso acontece? Além dos processos citados anteriormente, nesse período da vida, os indivíduos passam por grandes alterações no sistema de recompensa.

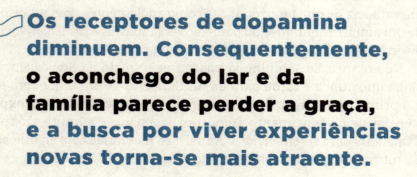

Os receptores de dopamina diminuem. Consequentemente, o aconchego do lar e da família parece perder a graça, e a busca por viver experiências novas torna-se mais atraente.

Esse fenômeno é essencial para a maturação do adolescente e para que tenha o impulso de ir em busca de independência. No entanto, deixa-o mais vulnerável e suscetível a se envolver em situações arriscadas.

Isso se reflete no comportamento de adolescentes em geral. Eles tendem a se tornar mais impulsivos nas decisões e a fazer escolhas sem reflexão cuidadosa porque querem retomar, a todo custo, as sensações de prazer não experimentadas nas situações habituais.

Outra consequência da alteração no sistema de recompensa é a maior suscetibilidade ao vício. Afinal, além de estarem mais propensos a experimentar coisas novas, os adolescentes respondem a esses estímulos com o aumento na liberação de dopamina, o que tende a fazer com que repitam o ato.

Apesar de tudo, é comum escutarmos de um filho nessa idade: "Relaxa, mãe/pai. Vai dar certo!". Essa não é mera expressão usual na idade dele, mas um modo de pensar muito comum. É que, para o adolescente, o lado positivo das ações parece sempre mais relevante. Ele até enxerga o que pode acontecer de ruim ao fazer determinada escolha, mas costuma dar maior importância aos benefícios que serão obtidos ao realizar aquela ação.

Diante de tudo isso, você ainda tem dúvida da importância de sua presença na vida de seu filho adolescente?

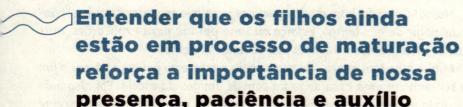

Entender que os filhos ainda estão em processo de maturação reforça a importância de nossa presença, paciência e auxílio neste momento da vida.

O QUE CARACTERIZA A ADOLESCÊNCIA?

BUSCA POR NOVIDADES

Mas, afinal, em um período de tantas mudanças, o que realmente caracteriza a fase da adolescência? Como vimos, o cérebro de um

ADOLESCÊNCIA: NÃO PARE NO MEIO DO CAMINHO

adolescente está passando por grandes transformações neuronais que influenciam diretamente no comportamento dele.

Um dos pontos mais comuns na adolescência é a busca por novidades. "Ai, que tédio, mãe/pai!", "Isso/Você é muito chato!". Você já ouviu isso? Não se preocupe, você não é chato e seu filho também não é rebelde! Mas o cérebro dele tende a impulsioná-lo a todo momento a querer coisas novas. "E daí que sejam arriscadas?". A gratificação durante essas experiências tem mais peso para ele. E não deixá-lo fazer algo pelo risco do que pode acontecer pode irritá-lo bastante. Mas a experiência de limites será fundamental para ele ao longo de toda a vida e poderá livrá-lo de sérias consequências.

AMAR TAMBÉM É DAR LIMITES

Certo dia, estava no Instagram quando me deparei com um treinamento com o tema "Quando dizer sim e quando dizer não para seu filho". Parei ali mesmo e fui ouvir.

A pessoa que estava falando me fez pensar na forma como eu respondia aos milhares de questionamentos que me eram feitos diariamente tanto pelo marido como pelos filhos e por quantas vezes disse "sim" só para ter um pouco de paz. Paz essa que não durava muito, pois sempre acontecia algo que vinha acompanhado da frase "mas foi a senhora que deixou" ou "mas você concordou, meu bem".

Nossa! Como foi bom ouvir aquela especialista me falando que o "não" pode exigir de nós tempo, esforço ou uma parada para explicações, mas que, de verdade, nos traz mais paz ao longo do tempo.

Minha filha tem quase 18 anos e pediu a mim e ao pai para passar o fim de semana em uma casa de praia com os amigos da escola. Foi alegando que todo mundo ia, que seria legal, e toda essa conversa que adolescente gosta de falar. Eu estava quase dizendo "sim", pela insistência dela, quando me lembrei do treinamento. Disse a ela que estudaria a situação, e é óbvio que ganhei de graça uma cara feia, mas tudo bem.

Liguei para a família responsável pela casa de praia para me informar sobre quem estaria com esses jovens e a informação que obtive foi a de que não haveria nenhum adulto com eles. Com muita tranquilidade, o pai do amigo da minha filha, que era o dono da casa, falou que desta vez ele não iria porque havia prometido entregar ao filho a chave da casa, pois, afinal, todos já tinham quase 18 anos e não haveria drogas ilícitas, apenas umas cervejinhas. Mas reforçou que o caseiro estaria lá.

Senti um arrepio na coluna ao saber dessa informação e decidi que minha filha não iria. Sabia que seria o fim do mundo para ela, mas aguentei firme, apesar de todas as alegações e ameaças. Foi um momento difícil, confesso, mas após um período as coisas voltaram ao normal, e minha filha agora se reporta a mim com mais confiança. Nossa relação ficou mais sólida.

Esses dias eu estava penteando os cabelos dela e ela me falava sobre uma atitude tomada por uma das colegas, então disse: "Tenho muita sorte de ter uma mãe que se importa comigo". No meu coração se firmou a certeza de que o "não" garante, por vezes, um "sim" ao melhor de nós.

DESEJO DE PERTENCER

Outro aspecto muito evidente na adolescência é o desejo de pertencer a grupos. Como vimos, a alteração no sistema de recompensa pode fazer com que os adolescentes passem a não ver tanta graça em estar apenas com a família. Parece "careta", sabe? É a hora em que, mais uma vez, temos que cortar o cordão umbilical para permitir que tenham novas amizades. Isso não quer dizer que como pais perdemos a importância para eles. Mas, sim, que eles amam e também precisam dos amigos.

Uma estratégia que utilizei com meus filhos foi permitir que minha casa fosse ponto de encontro para eles e os amigos. Fui, aos poucos, conquistando também a confiança dos amigos dos meus filhos, de modo que criaram grande respeito e admiração por mim.

Certo dia, meu filho quis fazer uma festa do pijama em casa. Imagine que animação ao receber diversos jovens! E o desejo deles era ver o dia amanhecer! Com essa situação, eu e meu marido nem dormimos naquela noite. Passávamos por eles de vez em quando, com a desculpa de servir um lanche, por exemplo. Mas posso garantir que valeu a pena.

Os amigos dos meus filhos já chegaram a dizer: "Tia, não quero voltar para casa, aqui é tão bom, me sinto tão bem com vocês". Então, se eu pudesse lhe dar um conselho, seria: traga os amigos dos seus filhos para casa e encontre uma forma de se conectar também com eles.

SARA BRAGA

Nesse momento da vida, também fará toda a diferença para os adolescentes as memórias do que tiverem vivido com a família. Elas serão fundamentais para o desenvolvimento de competências e habilidades essenciais para um convívio social saudável.

A falta dessas memórias na adolescência pode afetar o indivíduo de diversas maneiras. Entre elas, podemos citar o risco de que, para se sentir parte de um grupo, o adolescente venha a tomar certas atitudes que colocam em risco, muitas vezes, sua própria segurança e bem-estar.

É muito importante observar os grupos sociais dos quais nossos filhos fazem parte e procurar formas de ajudá-los a ter amizades que condizem com os valores e princípios morais que acreditamos ser justos para eles.

LACUNA DE MEMÓRIAS E RELACIONAMENTOS ABUSIVOS

A lacuna de memórias positivas pode tornar o adolescente mais suscetível a se envolver em relacionamentos abusivos. Imaginemos o caso de uma jovem que teve pouca ou nenhuma experiência de pertencimento e importância com a família. A primeira pessoa que demonstrar interesse amoroso por ela, passar a mão em seus cabelos, começar a lhe dar presentes e a elogiá-la tenderá a conseguir acessá-la, levando-a a entrar, talvez, em uma relação disfuncional, com sexo precoce, dependência afetiva ou até mesmo agressão.

INTENSIDADE EMOCIONAL

Outro aspecto que podemos destacar da adolescência é a intensidade emocional. Sim, as emoções adolescentes estão à flor da pele. Tudo é vivido com muita intensidade, sejam os eventos positivos, que inspiram entusiasmo, alegria e vitalidade, sejam os negativos, que podem levar à reatividade extrema e à depressão.

Precisamos estar ao lado dos nossos filhos e criar conexão com eles, seja por meio de um abraço roubado, seja "fazendo-se um", expressão da teóloga italiana Chiara Lubich[34] que significa compreender o outro de modo profundo, a ponto de tornar-se ele por um instante, gostando da mesma música, do mesmo filme etc. Portanto, buscar informações sobre o que seu filho gosta ajuda você a conhecê-lo com mais profundidade e intimidade, criando, assim, "pontes" entre vocês que aumentem ainda mais a conexão existente.

PENSAR "FORA DA CAIXA"

Outro ponto é que o adolescente "pensa fora da caixa". Por estar em processo de consolidação da própria identidade, é comum que comece a questionar princípios, valores, crenças que até então só absorvia no convívio familiar. É que, como costumamos dizer, a criança recebe informações do meio em que vive como se fosse "esponja"; absorve quase sem filtro aquilo que observa, ouve e sente.

Porém, quando chega à adolescência, o pensamento abstrato se desenvolve; logo, as análises e os questionamentos começam a surgir. Hábitos como ir à igreja aos domingos, por exemplo, podem ser questionados. Há perguntas sobre a fé, sobre a existência, sobre as desigualdades sociais, enfim, o adolescente passa a estabelecer diversas análises e reflexões sobre as pessoas e sobre o mundo que o cerca.

O lado bom é que isso pode motivá-lo a se envolver em projetos que visam à luta por grandes ideais, para promover mudanças no meio em que vive. Além disso, seu cérebro torna-se mais criativo e passa a ousar mais e a testar coisas novas.

---

34 LUBICH, C. **Ideal e luz**: pensamento, espiritualidade, mundo unido. São Paulo: Editora Cidade Nova, 2003.

ABRINDO ESPAÇO

Fui à casa do Mauro no sábado, e ele estava com a cama repleta de roupas, brinquedos, caixas de jogos e o guarda-roupa vazio.

– Que está fazendo, cara?

Ele deu um sorriso e me disse uma frase que ficou tatuada no meu cérebro:

– Estou abrindo espaço.

Insisti e perguntei:

– Como assim abrindo espaço?

Então ele começou a me contar que desde criança a mãe o havia ensinado a tirar do guarda-roupa aquilo que não usava havia determinado tempo, e todos em casa faziam isso, depois juntavam tudo, separando o que estava legal do que não estava, e iam juntos fazer a entrega. Já foram a creches, lares de idosos, à casa de familiares que precisavam de ajuda. E ele continuou explicando que aquele dia era o momento de abrir espaço para as coisas novas que certamente chegariam, aos novos amigos e ao ser generoso.

Naquele momento, entendi mais ainda por que meu amigo era tão legal. Ele foi o primeiro a falar comigo quando cheguei à nova escola ano passado. O 1º ano do Ensino Médio não é mole, e quando tudo é novidade, então, é mais complicado. Acho que ele entendeu meu pavor disfarçado de indiferença, quando foi ao meu encontro e abriu espaço para mim naquela nova realidade. Saí da casa de Mauro perto das quatro da tarde e fui direto para casa, decidido a abrir espaço. Fui logo no meu guarda-roupa e tirei uma monte de coisas que estavam lá desde criança. Fiz uma limpa, tirei tudo e só então me dei conta de quantas coisas tinha ocupando espaço.

Minha mãe chegou do trabalho e veio à porta do meu quarto. Vendo o que estava fazendo, pensou que estivesse ficando doido. Ela até quis me impedir, então fiz uma coisa que não fazia havia muito tempo: pedi que ela se sentasse um pouco. Falei para ela tudo que havia vivido na casa do Mauro, como ele estava sendo um amigo de verdade e que havia decidido fazer um pouco como ele, abrir espaço.

Uma semana depois encontrei minha mãe fazendo o exercício de abrir espaço, do jeito dela, é claro. Enquanto eu tinha quatro sacolas, ela tinha uma, mas dei os parabéns pela iniciativa e ela topou ir comigo ao abrigo. Foi um dia como nunca tinha vivido, tanto que passamos a ir mais vezes para estar com as crianças, brincar e comer com elas, e minha mãe ouvia as outras mães e suas histórias de vida. Confesso que minha mãe ficou tão impactada quanto eu, pois entendeu que fazer doações não era só doar coisas, era também ouvir, ajudar, estar junto e abrir espaço para as coisas *boas da vida. Todos ganhamos com essa atitude que se tornou hábito na nossa família. Valeu, Mauro!*

Minha relação com o mundo e com os outros é reflexo da qualidade dos meus pensamentos, sentimentos e emoções.

COMO SE CONECTAR COM SEU FILHO ADOLESCENTE

Muitos pais desejam construir as pontes que os separam de uma conexão mais forte e genuína com seus filhos. Partimos do pressuposto de que os pais amam os filhos e desejam sempre o melhor para eles. Porém, muitas vezes, não sabem que ferramentas utilizar para alcançar o coração deles.

Para começar, é preciso saber que todo ato de educar começa em si mesmo. Afinal, não conseguimos enxergar o outro enquanto não olhamos para nós mesmos. Será que o que tem incomodado você na relação com seus filhos adolescentes não é algo que ainda não resolveu no próprio interior? Um dos conteúdos do Método CIS que já transformou a vida de milhares e milhares de mães e pais é, por exemplo, o aprendizado sobre como nossa autoestima influencia a forma como tratamos e nos relacionamos com nossos filhos.

Portanto, o maior ato de amor que você pode dar aos seus filhos é cuidar de si mesmo, refletindo sobre suas emoções, sobre seus comportamentos e sobre seus sentimentos. Como vimos no Capítulo 3, quando eu mudo, tudo muda ao meu redor. Sem falar que nossas emoções, nossa autoestima e nossos sentimentos têm forte influência nas emoções, na autoestima e nos sentimentos dos nossos filhos.

E minha relação com o mundo e com os outros é reflexo da qualidade dos meus pensamentos, sentimentos e emoções.

ADOLESCÊNCIA: NÃO PARE NO MEIO DO CAMINHO **165**

Depois de ser capaz de perceber a si, é possível perceber o outro. Agir de maneira reativa a todas as propostas de seu filho adolescente poderá apenas aumentar a distância entre vocês. Assim, ouvir o outro com atenção e procurar entender como ele se sente, ou seja, exercer a empatia, são essenciais para estabelecer uma relação de confiança com os adolescentes.

É importante lembrar que já fomos adolescentes um dia. Você já parou para pensar nisso? Esse poderia ser um grande ponto de encontro entre gerações. Embora a realidade e o contexto possam ser diferentes, por certo reconheceremos muitos pontos em comum que nos permitirão compreendê-los melhor.

Uma coisa é certa: o comportamento do seu filho não é pessoal em relação a você, pai ou mãe. É apenas uma fase pela qual ele precisa passar para se preparar para ingressar no mundo adulto. Lembre-se do mito que quebramos nas páginas anteriores: a adolescência não é uma fase para ser superada, mas uma que, com suas peculiaridades e especificidades, precisa ser respeitada, como cada fase de desenvolvimento pela qual seu filho já passou.

É preciso que os pais compreendam a necessidade dos filhos por novas experiências e lhes forneçam formas mais seguras para realizar isso. Além disso, há que se considerar que não temos apenas o que ensinar, mas também muito o que aprender. O impulso por novidade, a intensidade com que vivem a vida e o desejo que possuem em transformar realidades podem igualmente nos ajudar a sair da monotonia ou da zona de conforto com a qual tendemos a viver a fase adulta.

> **Será que você tem se permitido aprender com seu filho? Já parou para pensar que ele também tem o que ensinar a você?**

Na relação com nossos filhos, independentemente de eles estarem na infância ou na adolescência, é preciso garantir, todos os dias, experiências de conexão e formação de memórias positivas. Procure se questionar diariamente: Como posso construir hoje uma ponte com meu filho?

Esse trabalho deve ser diário, porque a ponte construída ontem já não serve mais para o momento atual. É preciso que essa conexão familiar se renove a cada instante. O lar é a primeira instância da criança e deverá sê-lo para sempre. Se o adolescente não se sentir pertencente à família, procurará pertencer a outro lugar.

Quando os pais dão o primeiro passo para entender e acolher o ponto de vista do filho, ele também tende a abrir-se para escutar e compreender o ponto de vista dos pais.

Portanto, somente depois de terem experimentado uma conexão com os pais, os adolescentes estarão mais abertos a receber deles a instrução de que necessitam. Afinal, amor e limites não são dicotômicos, e estabelecer limites também é um ato de amor.

Quando estabelecemos esse vínculo seguro com nossos filhos, eles nos levarão para onde quer que forem e saberão que têm um porto seguro ao qual poderão recorrer toda vez que precisarem.

Talvez para você que, neste momento, tem um filho adolescente, essa fase possa parecer mais desafiadora, mas não pare no meio do caminho na importante missão de criar um filho feliz e forte emocionalmente. Você vai sentir e perceber os resultados no adulto em que seu filho se transformará.

E lembre-se, como diz Nilza Munguba, "quem para no meio do caminho não chega a lugar nenhum!".

> **Quando os pais dão o primeiro passo para entender e acolher o ponto de vista do filho, ele também tende a abrir-se para escutar e compreender o ponto de vista dos pais.**

SER PRESENÇA

O ideal para a criança é que os pais conversem, entendam-se e negociem algumas posições fundamentais. Quando o filho chegar à adolescência, por exemplo, como será?

É essencial que os pais entrem em acordo quando essa fase chegar, pois os questionamentos virão e é preciso ter firmeza e clareza de pensamento. Agora, se a criança vai tomar banho ou não todos os dias, a que horas vai dormir, se vai almoçar ou não diante da televisão, tudo isso não precisa de acordo.

Recebi esse conselho de uma amiga de trabalho assim que meu primeiro filho nasceu, e ela me falou de maneira bastante tocante; era como se ela tivesse sabido daquela informação um pouco tarde.

Hoje, agradeço muito por suas palavras; foi o norte na criação dos meus filhos.

Jonas, meu filho do meio, não mora mais conosco atualmente; passou no vestibular para o curso de Engenharia em outra cidade. Não sei se consigo explicar meu sentimento de alegria, medo e saudade. Comecei a sentir saudade dele antes mesmo de sair de casa. Observar meu filho preparando tudo para essa nova etapa, com maturidade para aquilo que estava ao seu alcance e dependência naquilo que dependia de nós, seus pais.

Certa noite, sentei-me na cama dele e fui falar daquilo que estava vendo. Ele ouviu tudo e falou:

– Mãe, sei tudo o que a senhora fez por mim e faz tempo que não segura mais o selim da minha bicicleta, mas sua presença não sai da minha vista e do meu coração. Posso estar em outra cidade, mas sei me virar muito bem, arrumo minha cama, faço minha comida, sei ajeitar uma casa, tudo isso porque vocês não faltaram nem um minuto na minha vida, nas brigas, nos risos, nas birras, nos abraços e choros, juntos. Sou a soma do amor de vocês.

A essa altura eu estava me desmanchando em lágrimas e felicidade e, olhando para meu filho, disse a mim mesma: "Parabéns, Érica, você e seu marido fizeram um excelente trabalho!".

Abracei meu Jonas longamente, sem pressa, como sempre fiz, então ele me disse:

– Seu abraço, mãe, é sua melhor marca; é dele que vou me lembrar quando tiver saudade e do "Vem cá, filhão", do papai.

168 EDUCAR, AMAR E DAR LIMITES

CONTEÚDO COMPLEMENTAR
- Video *Não desista do seu filho adolescente.*
Disponível em: https://febra.site/adolescencia.
Acesso em: 02 dez. 2020.

Aponte à câmera do celular para o QR CODE ao lado para assistir ao vídeo.

AÇÕES E DECISÕES:

CAPÍTULO

7

PERSEVERANÇA, INTEGRIDADE E MERECIMENTO:

Os três fundamentos para levar o seu filho ao sucesso

"O homem costuma viver bastante abaixo de seus limites, possui poderes de vários tipos que raramente utiliza."

ANGELA DUCKWORTH

Aninha, uma criança de 8 anos, era conhecida na escola por ter sorriso largo e usar laços no cabelo. Porém, começou a tirar notas baixas e a tratar os colegas de modo muito rude. Foi se tornando uma criança ranzinza e amarga. Os amiguinhos nem queriam mais ficar perto dela. A professora, vendo a mudança repentina de humor na menina, pediu aos pais que comparecessem à escola. Contou a eles tudo o que estava acontecendo e perguntou-lhes como estavam em casa, se estavam passando por algum problema.

Os pais relataram que estava tudo bem, apenas andavam muito atarefados com o trabalho novo do pai, que viajava bastante agora; e a mãe, que iniciara um novo curso de mestrado, estava se dedicando muito aos estudos.

Depois de ouvir o relato dos dois, a professora lembrou-se das sementes dentro de um jarrinho que preparara com as crianças, em sala de aula, para um experimento de Ciências. Resolveu dar aos pais de Aninha uma das sementes e um jarrinho, para que plantassem, cuidassem, adubassem e conversassem com ela todos os dias. Pediu, ainda, que em quinze dias retornassem com a planta.

Eles não entenderam nada, principalmente a parte em que conversariam com a planta. Mas fizeram como a professora os instruiu. Cuidaram, adubaram e conversaram com a plantinha. Entretanto, poucos dias depois, em razão de todas as atividades que tinham, deixaram-na de lado.

Passados os quinze dias, retornaram para conversar com a professora e trouxeram o jarrinho com a planta murcha, sem cor, seca, sem vida. Disseram que não tiveram tempo de cuidar dela todos os dias, pois eram muito ocupados e tinham outras prioridades.

A professora, então, disse a eles:

PERSEVERANÇA, INTEGRIDADE E MERECIMENTO   173

— O que aconteceu com essa plantinha está acontecendo com a Aninha. Ela anda cabisbaixa, irritada, sem brilho. Assim como uma semente que precisa de luz, adubo e cuidado para crescer forte e saudável, Aninha também precisa que vocês lhe deem atenção, carinho, abraços, elogios, isto é, tempo de qualidade. Ela precisa que vocês a amem com palavras e atitudes.

Ouvindo o que a professora dizia, os olhos dos pais de Aninha encheram-se de lágrimas, pois eles se deram conta do que estavam fazendo com a filha. Ela era o bem mais precioso que possuíam. Daquele dia em diante, tomaram a decisão de não deixar de lado a filha que tanto amavam. E, mesmo que tivessem muitos afazeres ao longo do dia, a prioridade seria o tesouro mais valioso deles: Aninha.

A missão de educar assemelha-se ao trabalho de um semeador que cuida, rega, protege e nutre diariamente suas sementes, para vê-las crescer e se desenvolver. Portanto, toda criança, assim como a semente, nasce plena de possibilidades. É preciso sabedoria para nutri-las com os elementos corretos, para que atinjam todo seu potencial.

Muitos pais, porém, vivem um padrão puro de ignorância (termo aqui utilizado no sentido de falta de conhecimento) e educam os filhos ensinando-lhes a fazer. E a vida deles se resume a aprender a fazer.

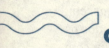

Como você tem educado seu filho: para obter sucesso ou se tornar um cumpridor de tarefas?

No entanto, pesquisas recentes revelam que as competências mais diretamente associadas ao sucesso profissional estão mais relacionadas às habilidades emocionais que às intelectuais.[35] Nessas

---

[35] PATI, C. 10 competências de que todo profissional vai precisar até 2020. **Exame**, 22 jan. 2016. Disponível em: https://exame.com/carreira/10-competencias-que-todo-professional-vai-precisar-ate-2020/. Acesso em: 11 dez. 2020.

habilidades emocionais essenciais para a construção de um futuro próspero e feliz, inclusive emocionalmente, estão a perseverança, a integridade e o merecimento.

PERSEVERANÇA

A primeira habilidade emocional é a perseverança, princípio número um do sucesso. Não é a cognição nem o conhecimento.

Nossas crianças, atualmente conhecidas como nativas digitais,[36] já nasceram em um mundo onde a velocidade de tudo é muito acelerada. Tendem a querer tudo no mesmo tempo e na mesma hora e a desistir facilmente diante dos obstáculos. Para que adquiram flexibilidade emocional e resiliência para superar os desafios que terão ao longo da vida, é fundamental que tenham perseverança.

Perseverança, também sinônimo de persistência, significa continuar caminhando na direção de objetivos, mesmo diante de obstáculos, problemas e adversidades. Cuidado para não confundir perseverança e persistência com insistência, que significa realizar a mesma tarefa sempre da mesma maneira, ou seja, a pessoa mantém o mesmo modo para solucionar determinado problema, não cria alternativas, não inova, então a tendência é que demore para resolver o problema ou nunca consiga resolvê-lo.

A maioria das pessoas para diante da primeira dificuldade, acreditando que o oposto do sucesso é o fracasso, mas não é. O contrário de sucesso é desistir, não fracassar.

Lembro-me muito bem quando fui escrever meu primeiro livro. Ansioso e entusiasmado, fui mostrar aos meus parentes o que havia produzido. Mas, para minha surpresa, quando leram o que eu havia escrito, me olharam e disseram: "Desista, você não nasceu para ser escritor!".

Diante daquela contrariedade, você pode imaginar que atitude tomei? Voltei para casa e passei noites em claro revisando, repensando e relendo cada palavra do livro.

---

36 A expressão *nativos digitais* foi criada por Marc Prensky, especialista em educação, para se referir a todos os nascidos após 1980, cujo desenvolvimento biológico e social se deu em contato direto com a tecnologia.

Hoje, quando me vejo como um dos maiores escritores do Brasil, com mais de 3,5 milhões de exemplares vendidos, fico imaginando o que seria de mim se tivesse desistido naquele momento.

PAULO VIEIRA

Quantas pessoas enterram seus talentos após viverem as primeiras experiências de frustração. A psicóloga Angela Duckworth, autora do livro *Garra: o poder da paixão e da perseverança* (Intrínseca, 2016), desenvolveu um estudo junto ao programa de doutorado em Psicologia da Universidade da Pensilvânia com o intuito de descobrir o segredo das pessoas bem-sucedidas.

Sua pesquisa revela que o que há por trás de grandes conquistas e realizações é a "garra", entendida como uma mistura de paixão e perseverança. Com ela, o ser humano é capaz de perseverar e produzir resultados além do puro talento, da sorte ou de eventuais derrotas. Portanto, a perseverança é um ingrediente essencial para uma receita de sucesso.

É POSSÍVEL DESENVOLVER A PERSEVERANÇA?

É sabido, por meio de estudos de neurociência, que quanto mais cedo uma criança for estimulada, melhores serão seus resultados, não só em relação à aprendizagem do letramento e da matemática, mas também em relação à autonomia e à perseverança.

Desde os primeiros anos de vida, o modo como nós, pais, reagiremos quando nossos filhos tentarem as primeiras experiências ou ensaiarem os primeiros passos fará grande diferença.

Vamos encorajar suas ações e demonstrar que confiamos em sua capacidade? Ou vamos dizer "não faça" ou "deixe que a mamãe/papai faça para você", na tentativa de protegê-los ou de impedir que experimentem qualquer frustração ou desprazer?

No Método CIS, vemos que apenas 13% de profissionais no mercado de trabalho falham por falta de habilidades intelectuais ou técnicas. Os outros 87% não alcançam o sucesso pela falta de competências socioemocionais como superação e ousadia.

Como o seu posicionamento, como mãe ou pai, e sua confiança na capacidade dos seus filhos tem ajudado cada um deles a desenvolver as habilidades e competências das quais vão precisar para um futuro de sucesso?

A IMPORTÂNCIA DA FRUSTRAÇÃO

Isso não significa que vamos expor nossos filhos ao risco e deixar que "se virem sozinhos". Mas sim que vamos proporcionar a eles experiências seguras, para que possam explorar o ambiente em que, perseverando e acertando, possam desenvolver todo seu potencial.

Quando meus filhos eram pequenos, organizei a casa de maneira funcional. Deixei os ambientes mais livres, evitando vidros e objetos que pudessem representar qualquer tipo de risco para eles.

Reservei um quarto apenas para os momentos de brincadeiras, onde coloquei tapetes de EVA, brinquedos adequados à idade deles e grade baixa na porta. Dessa forma, eles podiam se movimentar e fazer suas experiências de maneira tranquila e segura.

Superproteger os filhos e impedir que explorem o ambiente e as possibilidades podem torná-los passivos e fazê-los entender que é melhor não ousar para não correr perigo.

SARA BRAGA

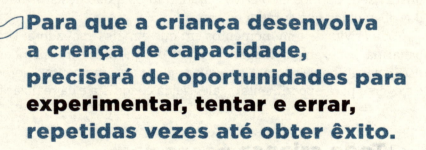

Para que a criança desenvolva a crença de capacidade, precisará de oportunidades para experimentar, tentar e errar, repetidas vezes até obter êxito.

Esse hábito deve acompanhar a criança por toda a vida. Quando ela estiver maior, é importante permitir que jogue, monte os próprios brinquedos e vá até o fim.

Vamos imaginar que uma criança de 5 anos está montando um quebra-cabeça, começa a sentir dificuldade na colocação da peças, vai perdendo a paciência e diz: "Mãe, não quero mais brincar. Está difícil". E a mãe responde: "Oh, filha, tá difícil? Então, deixa aí, escolhe outro jogo para brincar". Há casos ainda em que a filha diz

"Monta para mim, mamãe? Não sei montar sozinha", e a mãe faz o "trabalho" todo pela filha. O que a criança tende a entender com base nessas experiências? "Quando ficar difícil, posso abandonar" ou "Quando estiver difícil, posso ir para o colo da mamãe que ela vai resolver por mim".

São justamente nessas atividades cotidianas que temos a oportunidade de desenvolver hábitos de perseverança em nossos filhos.

Imaginemos que, nessa mesma situação, a mãe assumisse outra postura: "Filho, você consegue, é capaz. Esse quebra-cabeça tem muitas peças porque você tem 5 anos. Você já consegue montá-lo". A mãe fica ao lado do filho, incentiva-o. E, ao final, eles se olham nos olhos, se abraçam e celebram juntos essa conquista. Portanto, os pais devem estar ao lado dos filhos como os maiores incentivadores para que eles não desistam de seus objetivos, mesmo diante da frustração.

Para que a criança se desenvolva de maneira saudável, é necessário demonstrar apoio e segurança de um lado e confiança e encorajamento de outro.

Segundo Angela Duckworth, "As crianças desabrocham quando passam ao menos parte da semana fazendo coisas difíceis pelas quais se interessam."[37] Assim, é preciso encorajar nossos filhos a buscar seus sonhos e objetivos, ajudando-os a não desistir diante dos obstáculos que surgem no caminho.

Toda atividade tem momentos em que é mais desafiadora. Uma bailarina, por exemplo, chegará ao ponto em que precisará aprender a usar a sapatilha de ponta. E terá que superar esse momento doloroso e exigente para experimentar a alegria da conquista e da realização.

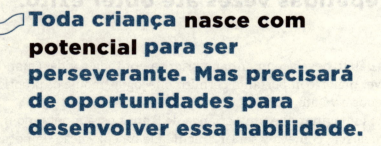

Toda criança nasce com potencial para ser perseverante. Mas precisará de oportunidades para desenvolver essa habilidade.

---

[37] DUCKWORTH, A. **Garra:** o poder da paixão e da perseverança. Rio de Janeiro: Intrínseca, 2016. p. 230.

Tenho um lema com meus filhos: "Começou, termina".

Meu filho, Matheus, estava fazendo caratê e após três anos começou a ficar entediado e disse: "Pai, vou parar agora, tô cansado disso, não tô sentindo mais prazer nessa atividade". Era por volta do mês de junho. Olhei nos olhos dele e disse: "Filho, lembra? Aqui em casa: começou, termina. Você vai até dezembro, quando trocará de faixa. Se, ao final do ano, não quiser começar um novo ciclo, respeitarei. Mas agora que começou tem que terminar. Encontre prazer no meio do caminho".

É importante fazer acordos como esses com nossos filhos, mas não permitir que desistam. Ou seja, precisamos estabelecer combinados. Você quer iniciar essa atividade? Se começar, terá que terminar.

Ao renunciar a um prazer imediato por algo maior depois, nossos filhos se tornarão mais resilientes e terão mais flexibilidade comportamental.

PAULO VIEIRA

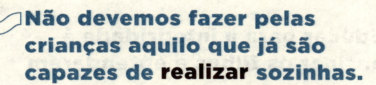

Não devemos fazer pelas crianças aquilo que já são capazes de realizar sozinhas.

MARIA MONTESSORI

INTEGRIDADE

Integridade é um termo que vem do latim *integritate*, utilizado para designar uma pessoa que apresenta conduta reta, educada, ética e honrosa. Ser íntegro é falar a verdade, cumprir o que prometeu, saber dizer "obrigado", "por favor", "desculpe-me".

Pense em quantas vezes você falou com seu filho para lhe dizer o que tinha que fazer: estudar, fazer a tarefa de casa, desligar a televisão, apagar a luz, alimentar-se, tomar banho, entre outras atividades. Agora, lembre-se de quantas vezes você o chamou de verdade, olhando-o nos olhos, para falar sobre a forma como ele trata os irmãos, os amigos, ou para falar do amor que ele está tendo ou não com as pessoas a sua volta.

Basta tirar boas notas, fazer curso de inglês e cumprir todas as demais atividades? E todas as outras coisas, também não são importantes?

PERSEVERANÇA, INTEGRIDADE E MERECIMENTO   **179**

Quando isso acontece, seu filho entende que o importante é o que ele faz, não o que ele é. E isso é destruidor para a identidade dele. Quantos de nós passamos o dia correndo, fazendo inúmeras coisas, porque aprendemos que nosso valor está no que fazemos?

Além disso, vemos muitos pais dizendo aos filhos "Não minta para mim". Mas, quando o filho fala o que aconteceu, os pais reagem com acusações, críticas e castigos severos. Como vimos no Capítulo 4, a melhor comunicação vem da perfeita linguagem do amor, pois garante ao filho experiências de importância e conexão.

Lembre-se de que, na educação, o erro deve ser sempre encarado como uma oportunidade de aprendizado. Afinal, todos nós somos imperfeitos. Não admitir o erro é o mesmo que exigir do outro uma perfeição que não existe. Por causa disso, muitos de nós crescemos achando que, para sermos aceitos, precisamos colocar nossas falhas debaixo do tapete, encobri-las.

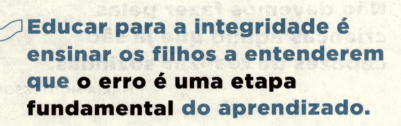

Educar para a integridade é ensinar os filhos a entenderem que o erro é uma etapa fundamental do aprendizado.

Nossos filhos precisam saber que são amados de modo incondicional, independentemente do que façam. Você pode estar pensando: "Mas assim meu filho vai me fazer de bobo(a)". Esse é um engano que muitos de nós cometemos. Se demonstrarmos que confiamos e acreditamos neles e que, independentemente do que façam, sempre vamos amá-los e estar do lado deles, eles vão nos falar a verdade.

Ainda que em um primeiro momento você desconfie de que seu filho está mentindo sobre algo, diga: "OK, filho, confio em você. Você sabe que estarei ao seu lado independentemente do que acontecer, não sabe? Vou sempre te defender". Com esse gesto, seu filho, inconscientemente, estará recebendo um recado: fale a verdade, conte o que aconteceu, porque você é importante. Ele vai entender que, não importa o que faça, poderá sempre contar com o amor dos pais, e você estará se comunicando com ele utilizando uma conduta da perfeita linguagem do amor.

Nossa postura não deve ser de condenação nem de permissividade pelos erros cometidos. O caminho é demonstrar amor incondicional, questionar os filhos sobre como se sentem com a situação e estar do lado deles para que possam reparar o erro e aprender com ele.

Educar para aprender com o erro é, ainda, assumir para nossos filhos que, assim como eles, nós também somos vulneráveis, erramos e pedimos perdão. Afinal, aceitar a vulnerabilidade nos traz verdade, luz, e nos faz decidir, todos os dias, sermos eternos aprendizes, não vítimas sofredoras.

Muitos pais acham que não precisam pedir desculpas aos filhos. Toda vez que os magoamos de alguma forma e dizemos para eles ou para nós mesmos: "É bobagem", "Não foi nada, "Logo vai passar", nossos filhos vão aprender que podem agir da mesma maneira com os outros. Quando falhamos com eles, não adianta ficarmos "mais bonzinhos" e sermos mais permissivos para "encobrir" a falta cometida. É preciso olhá-los nos olhos e reconhecer: "Filho, errei. Fiz isso, que não foi legal. Desculpe-me. De agora em diante, ficarei mais atento". Por meio do nosso exemplo, ele aprenderá a reconhecer quando errar e a pedir desculpas.

Outro ponto importante para formar para a integridade é ensinar o exercício da gratidão. Agradecer nos faz valorizar e honrar tudo aquilo que já possuímos.

Robert A. Emmons, no livro *Agradeça e seja feliz!* (BestSeller, 2009), afirma que pessoas que têm a gratidão como hábito apresentam níveis mais altos de emoções positivas, satisfação com a vida, vitalidade e otimismo.

A gratidão nos livra de arrependimentos passados e ansiedades futuras. Ao cultivá-la, livramo-nos da inveja do que não temos ou não somos. A gratidão não torna nossa vida perfeita, mas com ela vem a compreensão de que exatamente agora, neste momento, temos o bastante, somos o bastante.[38]

ROBERT A. EMMONS

Durante os vinte anos em que trabalhei em escolas, presenciei muitos casos de crianças que não foram estimuladas a ter a gratidão como hábito e demonstravam insatisfação constante. Muitas entendiam que podiam ter tudo o que queriam, na hora em que desejassem. Alguns pais lhes davam tanto que elas já não valorizavam mais o que tinham. Agiam como se acreditassem que todos tinham a obrigação de servi-las e atender às suas vontades.

Acontece que nós, seres humanos, temos a tendência de nos adaptar a bens materiais e a dinheiro. Isso aumenta nosso desejo por ter sempre mais e diminui o sentimento de bem-estar e satisfação.

A prática da gratidão, no entanto, diminui a adaptação hedônica, uma vez que estimula a produção de dopamina, neurotransmissor que baixa a ansiedade e melhora o ânimo, gerando energia e motivação. Portanto, não há riqueza e plenitude sem o sentimento de gratidão. A gratidão é pré-requisito para o sucesso.

Assim, ainda que possamos comprar uma loja de brinquedos para nossos filhos, não devemos fazê-lo, porque não é disso que eles realmente precisam. Permita que eles esperem para receber algo que desejam. Priorize datas

---

[38] EMMONS, R. A. **Agradeça e seja feliz!**: como a ciência da gratidão pode mudar sua vida para melhor. Rio de Janeiro: BestSeller, 2016. p. 264.

comemorativas para dar-lhes presentes maiores. Com isso, eles aprenderão a aguardar e a valorizar mais a conquista.

Ensine-lhes a agradecer o alimento da mesa, o professor que os ensinou, o garçom que os serviu e todas as outras pequenas dádivas do momento ou ajudas recebidas. O fato de pagar alguém para prestar um serviço não me exime da oportunidade de demonstrar gratidão pelo bem recebido.

Agradeça e eduque a criança para fazer o mesmo. Afinal, as ações humanas não devem ter por finalidade o dinheiro. O dinheiro deve ser visto como meio, não um fim. O que, de fato, deve ser apreciado em qualquer relação é a reciprocidade.

Ter integridade também é saber ser grato pelo que se tem.

SARA BRAGA

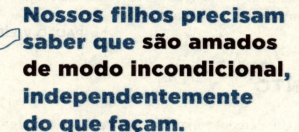

Nossos filhos precisam saber que são amados de modo incondicional, independentemente do que façam.

Lembro-me de que, certa vez, uma amiga me contou uma situação que vivera com o filho. A professora dele a chamou um dia e disse: "Não sei o que acontece com seu filho que ele não pede nem aceita ajuda na sala. Por mais que precise, que eu e os colegas estejamos dispostos a ajudar, ele se recusa e diz que quer fazer tudo sozinho".

Essa amiga disse que voltou para casa pensativa com o comentário, tentando entender o que estava acontecendo. Ela contou que, dias depois, estava arrumando a cozinha, enquanto o marido lia o jornal e os dois filhos brincavam no videogame. Nesse momento, caiu a ficha, e ela pensou: "Você também nunca pede ajuda. Quando seus filhos querem ajudar, você sempre responde: deixa que eu mesma faço". Ali, ela entendeu que o filho estava refletindo um comportamento dela.

Dali em diante, ela disse: "Agora, vou aprender a pedir ajuda!". Imediatamente, foi ao encontro da família e disse: "Ei, vocês podem me ajudar?". Dali para a frente, eles passaram a compartilhar tarefas em casa e a fazer as coisas juntos. Com essa mudança de atitude da mãe, algum tempo depois, a professora *a chamou outra vez e perguntou: "O que aconteceu com seu filho? Ele agora pede ajuda. As notas dele melhoraram consideravelmente depois disso". A mãe, então, contou à professora o que acontecera e aquela criança voltou a prosperar.*

Portanto, eduque pelo exemplo. O princípio "faça o que eu digo, mas não faça o que eu faço" não deve nortear a educação de quem, de fato, quer obter bons frutos. Os filhos estão aprendendo a todo momento, muito mais com as atitudes dos pais que com os conselhos.

Assim, sejamos nós os primeiros a falar a verdade, a cumprir o prometido, a dizer "obrigado", "por favor" e "desculpe-me". E busquemos estar inseridos em grupos sociais que compartilhem dos mesmos princípios de valores que os nossos. Embora seja desafiador, busquemos fazer isso com a maior frequência possível.

Há um provérbio africano que diz: "É preciso uma aldeia para se educar uma criança". Participar de grupos congruentes com seus valores ajudará a educar seus filhos com integridade e verdade.

PAULO VIEIRA

MERECIMENTO

Chegamos ao último fundamento: merecimento. Aqui, vale lembrar o que vimos nos capítulos anteriores sobre a pirâmide do indivíduo. O merecimento é o topo da pirâmide, é o cume da montanha. É o lugar de contemplação, realização e vitória.

Muitos pais, por medo de que os filhos se frustrem, afirmam: "Educo meus filhos na base da realidade. Quando começam a sonhar, digo logo para eles acordarem, porque as coisas são difíceis, dinheiro não dá em árvore, que final feliz só acontece em contos de fadas". Assim, vemos muitos adultos que não vão além, porque foram impedidos, pelos pais, de sonhar.

Ter uma visão positiva do futuro libera no organismo moléculas de dopamina, que aumentam a sensação de prazer e bem-estar e a capacidade de realização. Por isso, não tenha medo de encorajar seu filho a sonhar. Contribua para que ele cresça sabendo quem é, do que é capaz e o que merece ter e conquistar, assim poderá ir além e realizar grandes projetos.

Também é importante se lembrar de que os pais são o espelho e a referência dos filhos! Como uma criança vai ser ousada se vê os pais como retrato da acomodação? Ela poderá até conseguir romper o padrão, porém precisará de maior esforço. Pais que desejavam ter filhos ousados precisam dar o exemplo. Se querem filhos capazes de sonhar e de realizar, devem fazer o mesmo.

Quem você tem sido? Um pai que encoraja os filhos em seus projetos? Ou um que evita alimentar sonhos e esperanças com medo de que eles se frustrem? Como pessoa, qual é o exemplo que você tem dado? Acredita que pode realizar seus projetos e segue até o final com eles? Ou tem parado no meio do caminho, alimentando crenças limitantes de capacidade e merecimento, não apenas em você, mas também em seus filhos?

No Método CIS, entendemos que estabelecer e ter metas é essencial para criar futuros extraordinários, para que não fiquemos sempre parados no mesmo lugar.

Então, mais que sonhar, incentive seus filhos a estabelecer grandes metas e lembre-se de fazer o mesmo você também!

FÁBULA DAS DUAS CRIANÇAS
(lógica de Albert Einstein)[39]

Conta-se que duas crianças estavam patinando num lago congelado da Alemanha. Era uma tarde nublada e fria, e as crianças brincavam despreocupadas. De repente, o gelo se quebrou, e uma delas caiu, ficando presa na fenda que se formou. A outra, vendo o amigo preso e se congelando, tirou um dos patins e começou a golpear o gelo com todas as forças, conseguindo, por fim, quebrá-lo e libertar o amigo. Quando os bombeiros chegaram e viram o que havia acontecido, perguntaram ao menino:

– Como conseguiu fazer isso? É impossível que tenha conseguido quebrar o gelo sendo tão pequeno e com mãos tão frágeis!

Nesse instante, Albert Einstein, que passava pelo local, comentou:

– Eu sei como ele conseguiu.

Todos perguntaram:

– Pode nos dizer como?

– É simples – respondeu Einstein. – Não havia ninguém ao redor para lhe dizer que não seria capaz.

---

39 A LÓGICA de Einstein. **Palestrante Menegatti** [s.d.]. Disponível em: https://palestrante. srv.br/artigos/fabula-e-parabola/a-logica-de-einstein. Acesso em: 18 nov. 2020.

EXERCÍCIO

Se as palavras têm poder, por que não utilizá-las para criar a realidade que você deseja?

Com base em tudo o que aprendeu ao longo deste livro, escreva uma lista de profecias positivas sobre a vida da sua família e a vida de seus filhos. Siga o exemplo e utilize boas palavras para comunicar o que há de melhor, para você e sua família, para seus filhos e suas emoções, autoestima, identidade, memórias, experiências, crenças e sentimentos.

Não se esqueça de fazer dessa nova prática um forte hábito a partir de hoje.

Exemplo: *Profetizo que minha casa será um lugar de paz; Profetizo que minha comunicação com meu filho será baseada na perfeita linguagem do amor; Profetizo muitas experiências de pertencimento com meus filhos.*

CONTEÚDO COMPLEMENTAR

- Vídeo *Entenda a diferença entre persistência × insistência*. Disponível em: https://www.youtube.com/watch?v=6Kfi39nHRLE. Acesso em: 18 nov. 2020.

Aponte a câmera do celular para o QR CODE ao lado para assistir ao vídeo.

AÇÕES E DECISÕES:

REFERÊNCIAS
BIBLIOGRÁFICAS

A LÓGICA de Einstein. **Palestrante Menegatti** [s.d.]. Disponível em: https://palestrante.srv.br/artigos/fabula-e-parabola/a-logica-de--einstein. Acesso em: 18 nov. 2020.

ACETI, E. **Crescer é uma aventura extraordinária**. São Paulo: Cidade Nova, 2017.

ADVERSE Childhood Experiences (ACEs). **The Burke Foundation** [s.d.]. Disponível em: https://burkefoundation.org/what-drives-us/ adverse-childhood-experiences-aces/#:~:text=The%20Burke%20 Foundation%20supports%20children,death%20in%20the%20 United%20States. Acesso em: 16 nov. 2020.

BAQUI, M. Em coma há um mês, mulher acorda para amamentar filha caçula na Argentina. **Correio Braziliense**, 28 nov. 2019. Disponível em: https://www.correiobraziliense.com.br/app/noticia/ mundo/2019/11/28/interna_mundo,809972/em-coma-ha-um-mes-mulher-acorda-para-amamentar-filha-cacula-na-argent. shtml. Acesso em: 02 dez. 2020.

BRANDEN, N. **Autoestima**: como aprender a gostar de si mesmo. São Paulo: Saraiva. 1992.

BRYSON, T. P.; SIEGEL, D. J. **O cérebro da criança**. São Paulo: nVersos, 2015.

CARPEGIANI, F. Autoestima: como ensiná-la para as crianças. **Crescer**, 24 jun. 2013. Disponível em: https://revistacrescer.globo.com/Criancas/Comportamento/noticia/2013/06/como-ensinar-autoestima-para-criancas.html. Acesso em: 11 dez. 2020.

CHAPMAN, G.; CAMPBELL, R. **As 5 linguagens do amor das crianças**: como expressar um compromisso de amor a seu filho. São Paulo: Mundo Cristão, 2017.

COSENZA, R. M. **Neurociência e educação**: como o cérebro aprende. São Paulo: Saraiva, 2011.

DUCKWORTH, A. **Garra**: o poder da paixão e da perseverança. Rio de Janeiro: Intrínseca, 2016.

EMMONS, R.; MCCULLOUGH, M. **Agradeça e seja feliz!**: como a ciência da gratidão pode mudar sua vida para melhor. Rio de Janeiro: BestSeller, 2009.

ESTUDOS mostram que fetos armazenam memória e aprendem por meio das sensações. **EBC**, 26 jan. 2016. Disponível em: https:// memoria.ebc.com.br/infantil/para-pais/2016/01/estudos-mostram-que-fetos-armazenam-memoria-e-aprendem-por-meio-das. Acesso em: 15 dez. 2020.

FERRARI, E. Plasticidade neural: relações com o comportamento e abordagens experimentais. **Psicologia: Teoria e Pesquisa**, maio-ago., v. 17, n. 2, p. 187-194, 2001. Disponível em: https://www.scielo.br/pdf/ptp/v17n2/7879.pdf. Acesso em: 30 nov. 2020.

FONSECA, A. Experiência com palavras de amor e ódio muda forma de arroz em escola do Paraná. **G1**, 31 maio 2017. Disponível em: https://g1.globo.com/pr/parana/noticia/palavras-de-amor-e-odio-fazem-parte-de-experiencia-e-mudam-forma-dearroz-em-escola-do-parana.ghtml. Acesso em: 11 dez. 2020.

GARDNER, H. **Inteligências múltiplas**: a teoria na prática. Porto Alegre: Artmed, 1995.

GERHARDT, S.; IDE, M. R. **Por que o amor é importante**: como o afeto molda o cérebro do bebê. Porto Alegre: Artmed, 2016.

GOLEMAN, D. **Inteligência emocional**. Rio de Janeiro: Objetiva, 1995.

GRANT, A. **Dar e receber**: uma abordagem revolucionária sobre sucesso, generosidade e influencia. Rio de Janeiro: Sextante, 2014.

HELLINGER, B. **Constelações familiares**: o reconhecimento das ordens do amor. São Paulo: Cultrix, 2007.

HOSPITALIZAÇÃO de adolescentes por transtornos mentais aumenta e preocupa pediatras. **Sociedade Brasileira de Pediatria**, 14 out. 2019. Disponível em: https://www.sbp.com.br/imprensa/detalhe/nid/hospitalizacao-de-adolescentes-por-transtornosmentais-aumenta-e-preocupa-pediatras/. Acesso em: 11 nov. 2020.

KORB, A. **The upward spiral**: using neuroscience to reverse the course of depression, one small chance a time. Oakland: New Harbinger Publications, 2015.

LA TAILLE, Y. de; OLIVEIRA, M. K. de; DANTAS, H. **Piaget, Vygotsky, Wallon**: teorias psicogenéticas em discussão. São Paulo: Summus, 1992.

LOSADA, M.; HEAPHY, E. The role of positivity and connectivity in the performance of business teams. **American Behavioral Scientist**, fev., v. 47, n. 6, p. 740-765, 2004.

LUBICH, C. **Ideal e luz**: pensamento, espiritualidade, mundo unido. São Paulo: Editora Cidade Nova, 2003.

MONTESSORI, M. **A criança**. Rio de Janeiro: Nórdica, 1987.

NELSEN, J. **Disciplina positiva**. São Paulo: Manole, 2015.

NÓBREGA, E. Carta do professor de Thomas Edison para sua mãe. **O Vale do Ribeira**, 30 nov. 2015. Disponível em: https://www.ovaledoribeira.com.br/2015/11/carta-doprofessor-de-thomas-edison-para-sua-mae.html. Acesso em: 19 nov. 2020.

NOLTE, D.; HARRIS, R. **As crianças aprendem o que vivenciam**: o poder do exemplo dos pais na educação dos filhos. Rio de Janeiro: Sextante, 2003.

NUEZ, J. T. de la. Por que a puberdade começa cada vez mais cedo. **BBC News Mundo**, 3 nov. 2018. Disponível em: https://www.bbc.com/portuguese/geral-46027392. Acesso em: 11 dez. 2020.

OSHO. O rio e o oceano. **Pensador** [s.d.]. Disponível em: https://www.pensador.com/frase/NTE2MDM1/. Acesso em: 17 nov. 2020.

PAIXÃO, R. F.; PATIAS, N. D.; DELL' AGLIO, D. D. Autoestima e sintomas de transtornos mentais na adolescência: variáveis associadas. **Psicologia: Teoria e Pesquisa**, v. 34, 2018. Disponível em: http://dx.doi.org/10.1590/0102.3772e34436. Acesso em: 11 dez. 2020.

PALACIO, R. J. **365 dias extraordinários**. Rio de Janeiro: Intrínseca, 2014.

PATI, C. 10 competências de que todo profissional vai precisar até 2020. **Exame**, 22 jan. 2016. Disponível em: https://exame.com/carreira/10-competencias-que-todoprofessional-vai-precisar-ate-2020/. Acesso em: 11 dez. 2020.

VIEIRA, P. **O poder da ação**: faça sua vida ideal sair do papel. São Paulo: Gente, 2015.

_____. **Poder e alta performance**: o manual prático para reprogramar seus hábitos e promover mudanças profundas em sua vida. São Paulo: Gente, 2017.

_____. **O poder da autorresponsabilidade**: a ferramenta comprovada que gera alta performance e resultados em pouco tempo. São Paulo: Gente, 2017.

_____. **Coaching Integral Sistêmico**: conceitos, técnicas e ferramentas para obter resultados extraordinários. Fortaleza: Produção Febracis, 2018.

VIEIRA, P.; SOUSA, M. de. **O poder da ação para crianças**: como aprender sobre autorresponsabilidade e preparar seus filhos para um vida feliz e completa. São Paulo: Gente, 2018.

SIEGEL, D. J. **Cérebro adolescente**. São Paulo: nVersos, 2016.

WEIL, P.; TOMPAKOW, R. **O corpo fala**: a linguagem silenciosa da comunicação não verbal. Petrópolis: Vozes, 2015.

WILLIAMS, M.; PENMAN, D. **Atenção plena – mindfulness**: como encontrar a paz em um mundo frenético. Rio de Janeiro: Sextante, 2015.

YARAK, A. Oxitocina, a molécula da moral. **Veja**, 30 jun 2012. Disponível em: https://veja.abril.com.br/ciencia/oxitocina-a-molecula-da-moral/. Acesso em: 11 dez. 2020.

Este livro foi impresso
em papel pólen bold 70g
pela Gráfica Assahi em
fevereiro de 2023.